10|18
12, avenue d'Italie — Paris XIIIe

Sur l'auteur

Ressortissant britannique né en 1948 au Zimbabwe, où il a grandi, Alexander McCall Smith vit aujourd'hui à Édimbourg. Il y exerce les fonctions de professeur de droit appliqué à la médecine et est parallèlement membre du Comité international de bioéthique à l'UNESCO. Il a vécu quelques années au Botswana où il a contribué à l'organisation de la première école de droit et rédigé le Code pénal. Il a écrit une cinquantaine d'ouvrages allant du manuel juridique au précis de grammaire portugaise et de nombreux ouvrages pour enfants, dont des contes africains.

LES MOTS PERDUS DU KALAHARI

PAR

ALEXANDER McCALL SMITH

Traduit de l'anglais
par Élisabeth KERN

10 18

INÉDIT

« Grands Détectives »
dirigé par Jean-Claude Zylberstein

Du même auteur
aux Éditions 10/18

MMA RAMOTSWE DÉTECTIVE, n° 3573
LES LARMES DE LA GIRAFE, n° 3574
VAGUE À L'ÂME AU BOTSWANA, n° 3637
► LES MOTS PERDUS DU KALAHARI, n° 3718

À paraître

THE FULL CUPBOARD OF LIFE (avril 2005)
MARRIAGE COMES TO THOSE WHO WAIT (octobre 2005)

Titre original :
The Kalahari Typing School for Men

ISBN 2-264-03763-6

Ce livre est dédié à Amy Moore,
Florence Christie et Elaine Gadd

CHAPITRE PREMIER

Comment trouver un mari

Je ne dois jamais perdre de vue quelle chance j'ai dans la vie, songeait Mma Ramotswe. Je dois m'en souvenir à chaque instant, mais surtout maintenant, tandis que, assise sur la véranda de ma maison de Zebra Drive, je contemple le haut ciel du Botswana, ce ciel si vide que son bleu paraît presque blanc.

Voilà donc où se trouvait Precious Ramotswe, propriétaire de l'unique agence de détectives privés du Botswana, l'Agence N° 1 des Dames Détectives, qui, dans l'ensemble, avait tenu sa promesse initiale, celle de fournir satisfaction aux clients, même si certains, il fallait le reconnaître, ne s'estimeraient jamais satisfaits. Elle était donc là, la trentaine finissante, le meilleur âge, elle en était convaincue. Elle était là, avec sa maison de Zebra Drive et les deux orphelins devenus ses enfants, un garçon et une fille qui apportaient vie et gaieté dans son foyer. De telles bénédictions eussent comblé n'importe quel être humain. Avec toutes ces choses qui faisaient sa vie, on pouvait dire qu'il ne lui manquait rien.

Et pourtant, ce n'était pas tout. Depuis quelque temps, Mma Ramotswe avait un fiancé : Mr. J.L.B. Matekoni, propriétaire du garage Tlokweng Road Speedy Motors et, de l'avis de tous, le meilleur mécanicien du Botswana, un homme doux, un homme bon. Mma Ramotswe avait déjà été mariée et l'expérience s'était révélée désastreuse. Note Mokoti, le toujours très chic trompettiste de jazz, avait certes représenté un rêve de jeune fille, mais il était vite devenu un cauchemar de femme mariée. Il lui avait infligé un régime de cruauté, prodigué des souffrances en rations quotidiennes. Puis, au terme de la grossesse mouvementée de Mma Ramotswe, quand leur minuscule bébé prématuré s'était éteint dans les bras de sa mère, quelques heures à peine après son terrible combat pour venir au monde, Note se trouvait dans un bar, quelque part en ville. Il ne s'était même pas déplacé pour dire au revoir à ce petit fragment d'humanité qui avait signifié tant de choses pour elle et si peu pour lui. Mma Ramotswe n'oublierait jamais comment, après la rupture, Obed Ramotswe, son père qu'aujourd'hui encore elle appelait son Papa, l'avait recueillie chez lui sans un mot sur son mari, sans dire une seule fois *« Je savais que cela arriverait »*. Dès lors, elle s'était promis de ne jamais se remarier, sauf si — ce qui était, à n'en pas douter, impossible — elle trouvait un homme à la hauteur du souvenir qu'elle gardait de son défunt Papa, ce vieillard très sage que tous respectaient en raison de sa connaissance du bétail et de son attachement aux traditions ancestrales du Botswana.

Bien sûr, elle avait reçu des demandes en mariage. Son vieil ami Hector Mapondise s'était régulièrement porté candidat pour le rôle d'époux et avait toujours pris avec philosophie et bonne humeur les refus systématiques qu'elle lui opposait, comme il convenait à un homme de son statut (car il était le cousin d'un grand chef). Sans doute eût-il fait un mari parfait, mais il avait le défaut d'être assez ennuyeux ; en dépit de tous ses efforts, Mma Ramotswe ne parvenait pas à lutter contre l'assoupissement lorsqu'elle se trouvait en sa compagnie. Être sa femme se fût révélé trop difficile pour elle : une expérience somnolente, en fait, et Mma Ramotswe aimait trop la vie pour accepter de la traverser les yeux fermés. Chaque fois qu'elle voyait Hector Mapondise passer devant chez elle au volant de sa grosse voiture verte ou se rendre à la poste pour prendre son courrier, elle se souvenait du jour où il l'avait emmenée déjeuner à l'hôtel *Président* et où elle s'était endormie à table, au beau milieu du repas. L'expérience avait donné un nouveau sens, avait-elle pensé, à l'expression « coucher avec un homme ». Lorsqu'elle s'était réveillée en sursaut sur sa chaise, il parlait toujours de sa voix sourde, ses yeux légèrement chassieux fixés sur elle, évoquant les difficultés qu'il rencontrait avec l'une des machines de son usine.

— La tôle ondulée n'est vraiment pas d'un maniement facile, disait-il. Il faut des machines très particulières pour faire prendre cette forme-là à la tôle. Saviez-vous cela, Mma ? Et savez-vous pourquoi la tôle ondulée a la forme qu'elle a ?

Mma Ramotswe n'avait jamais réfléchi à la question. La tôle ondulée était surtout utilisée pour les toitures : l'explication n'avait-elle pas un rapport avec la nécessité de faciliter l'écoulement de l'eau de pluie ? Mais pourquoi était-ce important dans un pays aussi sec que le Botswana ? Il devait y avoir une autre raison, pensa-t-elle, mais celle-ci ne lui apparaissait pas spontanément. Tandis qu'elle réfléchissait, elle sentit l'engourdissement l'envahir de nouveau et elle lutta pour garder les yeux ouverts.

Non, Hector Mapondise était un homme de valeur, mais beaucoup trop terne. Il devait plutôt rechercher une femme terne, elles étaient légion dans le pays, des dames aux gestes lents et sans grand dynamisme ; il devait épouser l'une de ces femmes aux allures bovines. Seulement, le problème, c'était que la plupart du temps les hommes ternes ne trouvaient aucun intérêt à cette sorte de femmes, auxquelles ils préféraient celles qui ressemblaient à Mma Ramotswe. Cela s'inscrivait d'ailleurs dans un cadre plus général : les gens manifestaient un aveuglement étonnant dans leurs attentes. Mma Ramotswe sourit à cette pensée, tandis qu'un souvenir remontait à sa mémoire : lorsqu'elle était jeune fille, elle avait une amie de très grande taille dont était tombé amoureux un garçon extrêmement petit. Il devait lever la tête pour contempler le visage de sa bien-aimée, à qui il arrivait à peine à la ceinture, tandis qu'elle, de son côté, le regardait d'en haut, presque contrainte de plisser les yeux en raison de la distance qui les séparait. Cette distance aurait pu s'élever à des milliers de kilomètres — la largeur du Kalahari, aller-retour — mais le petit homme ne s'en rendait pas compte. Le cœur lourd, il dut cependant se désister le jour où le frère de sa belle, immense lui aussi, se pencha sur lui pour le regarder dans les yeux et lui ordonner de cesser de s'intéresser à sa sœur, de près ou de loin, s'il ne voulait pas passer un très mauvais quart d'heure. Mma Ramotswe avait éprouvé du chagrin pour ce petit homme, bien sûr, car elle n'avait jamais pu rester indifférente aux sentiments d'autrui. Cet homme aurait dû comprendre qu'il nourrissait des ambitions impossibles, mais les gens en sont incapables.

Mr. J.L.B. Matekoni était un homme très bien et, contrairement à Hector Mapondise, il ne pouvait être qualifié de terne. On ne pouvait non plus prétendre qu'il était fascinant, à la manière de Note, mais il faisait une compagnie très agréable. On pouvait rester avec lui pendant des heures, et même s'il ne disait rien d'important, sa conversation n'était jamais ennuyeuse. Certes, il parlait beaucoup de voitures, comme la plupart des hommes, mais ce qu'il en disait se révélait bien plus intéressant que ce que racontaient ses semblables sur le sujet. Mr. J.L.B. Matekoni estimait que les voitures avaient leur personnalité et il lui suffisait d'en regarder une pour connaître le caractère de son propriétaire.

— Les voitures parlent des gens, lui avait-il un jour expliqué. Elles nous révèlent tout ce qu'on a besoin de savoir sur un individu.

Ces mots avaient frappé Mma Ramotswe, qui les avait trouvés étranges, mais Mr. J.L.B. Matekoni avait poursuivi en illustrant son propos par toutes sortes d'exemples saisissants. Avait-elle déjà regardé la voiture de Mr. Motobedi Palati, par exemple ? C'était un homme désordonné dont la cravate était toujours nouée de travers et dont la chemise dépassait du pantalon en permanence. Bien entendu, il régnait un parfait désordre à l'intérieur de sa voiture, avec des fils électriques qui pendaient du tableau de bord et un trou sous le siège du conducteur, de sorte que la poussière s'engouffrait dans le véhicule, recouvrant tout d'une couche brune. Et que dire de l'intimidante infirmière de l'hôpital Princess Marina, celle qui avait humilié un homme politique très en vue en l'interpellant au cours d'un meeting public pour lui poser, sur les salaires des infirmières, des questions auxquelles il n'avait su répondre ? Comme on pouvait s'y attendre, sa voiture à elle était impeccable et sentait même vaguement l'antiseptique. Si Mma Ramotswe le souhaitait, il pouvait lui donner d'autres exemples encore, mais il l'avait convaincue et elle hocha la tête.

C'était la petite fourgonnette blanche de Mma Ramotswe qui les avait rapprochés. Avant d'apporter celle-ci en réparation au Tlokweng Road Speedy Motors, elle connaissait déjà Mr. J.L.B. Matekoni, qui avait grandi comme elle à Mochudi et menait une existence paisible dans une maison proche de l'ancien aéroport militaire. Elle s'était demandé pourquoi il vivait seul, ce qui était rare pour un homme au Botswana, mais ne s'était jamais vraiment intéressée à lui avant le jour où il avait effectué une révision de la fourgonnette et l'avait mise en garde contre l'usure des pneus. Dès lors, elle avait pris l'habitude de lui rendre visite au garage de temps à autre, pour évoquer les événements du jour et boire le thé qu'il préparait sur un réchaud, dans un coin de son bureau.

Puis était arrivé ce jour extraordinaire où la petite fourgonnette blanche s'était étouffée et avait refusé de démarrer. Il avait alors passé un après-midi entier dans la cour de Zebra Drive, le moteur de la camionnette gisant au sol en une bonne centaine de pièces détachées, son cœur exposé au grand jour. Mr. J.L.B. Matekoni avait rassemblé toutes ces pièces, puis était entré dans la maison à la tombée de la nuit, et ils s'étaient tous deux installés sur la véranda. Alors, il lui avait demandé sa main et elle avait accepté, presque sans réfléchir, parce qu'elle venait de comprendre qu'elle avait auprès d'elle un homme aussi bon que son père et qu'ils vivraient heureux ensemble.

Mma Ramotswe ne s'était pas attendue à voir Mr. J.L.B. Matekoni tomber malade, ou du moins tomber malade de cette façon. Les choses eussent été plus simples, sans doute, si la maladie avait touché le corps, mais ce fut l'esprit qui se trouva affecté et il avait semblé à Mma Ramotswe que l'homme qu'elle connaissait avait déserté son enveloppe corporelle pour s'en aller ailleurs. Grâce à Mma Potokwane, la directrice de la ferme des orphelins, et au traitement du Dr Moffat, que Mma Potokwane s'était chargée d'administrer à Mr. J.L.B. Matekoni, la personnalité qu'elle connaissait était revenue. Les idées noires, l'expression de chien battu, la lassitude générale, tout cela s'était effacé et Mr. J.L.B. Matekoni s'était remis à sourire et à s'intéresser à son travail, qu'il avait négligé d'une façon qui lui ressemblait si peu.

Pendant sa maladie, bien sûr, il n'avait pu s'occuper du garage et c'était Mma Makutsi, l'assistante de Mma Ramotswe, qui en avait pris les commandes. Mma Makutsi avait fait des merveilles. Non seulement elle avait discipliné les paresseux apprentis, qui donnaient tant de fil à retordre à Mr. J.L.B. Matekoni avec leur façon inconsidérée de traiter les voitures (l'un d'eux avait même été surpris en train de frapper un moteur avec un marteau !), mais elle avait attiré une nombreuse clientèle. De plus en plus de femmes possédaient leur propre voiture et elles étaient ravies d'en confier la réparation à un garage tenu par une dame. À ses débuts, Mma Makutsi ne connaissait pas grand-chose aux moteurs, mais elle avait appris très vite et était désormais capable d'effectuer une révision et quelques réparations classiques sur la plupart des marques de voitures, à condition que les modèles ne soient ni trop modernes ni trop dépendants des systèmes capricieux du genre que les fabricants allemands aimaient cacher dans les véhicules pour compliquer la tâche des mécaniciens du monde entier.

— Comment pourrions-nous la remercier ? demanda Mma Ramotswe. Elle s'est tant investie dans le garage, et maintenant que tu es revenu, elle ne sera plus qu'une assistante de direction et une assistante détective, comme avant. Cela risque d'être difficile pour elle.

Mr. J.L.B. Matekoni fronça les sourcils.

— Je ne veux pas la chagriner, répondit-il. Tu as raison de dire qu'elle a beaucoup travaillé. Je le vois dans les livres de comptes. Tout est parfaitement en ordre. Toutes les notes ont été réglées, toutes les factures sont numérotées. Même le sol de l'atelier est plus propre et il y a moins de cambouis partout.

— Malheureusement, son existence est loin d'être rose, fit Mma Ramotswe, pensive. Elle vit à Old Naledi, dans une petite pièce qu'elle partage avec un frère malade. Je ne peux pas la payer bien cher. Et elle n'a pas de mari pour s'occuper d'elle. Elle mérite mieux.

Mr. J.L.B. Matekoni acquiesça. Certes, il l'aiderait en continuant à l'employer comme assistante de direction au garage Tlokweng Road Speedy Motors, mais il voyait mal ce qu'il pourrait faire de plus. Il était évident que la question du mari n'entrait pas dans ses cordes. Il était un homme, après tout, et il ne connaissait rien aux problèmes des femmes célibataires. C'était le rôle des femmes, pensait-il, que d'aider leurs semblables à rencontrer des gens. Sans doute Mma Ramotswe pourrait-elle la conseiller sur la meilleure tactique à adopter dans ce domaine ? Mma Ramotswe était aimée de tous et elle avait beaucoup d'amis et d'admirateurs. Y avait-il quelque chose à faire pour trouver un mari ? On pouvait sûrement expliquer à Mma Makutsi comment s'y prendre…

Mma Ramotswe n'en était pas si sûre.

— Il faut faire attention à ce que l'on dit, expliqua-t-elle à Mr. J.L.B. Matekoni. Les gens n'aiment pas qu'on les prenne pour des imbéciles. Surtout les gens comme Mma Makutsi, qui a tout de même obtenu quatre-vingt-dix-sept sur cent à son examen final. On ne peut pas aller dire à une personne comme elle qu'elle n'est pas capable d'une chose basique comme de trouver un mari.

— Cela n'a rien à voir avec les quatre-vingt-dix-sept sur cent, objecta Mr. J.L.B. Matekoni. On peut obtenir cent sur cent en dactylographie et ne pas savoir comment parler aux hommes. Trouver un mari et taper à la machine sont deux choses totalement différentes. Totalement.

À la mention du mariage, Mma Ramotswe s'était soudain demandé s'ils célébreraient le leur bientôt et elle fut tentée de poser la question, mais elle se ravisa à temps. Le Dr Moffat lui avait recommandé d'épargner tout stress à Mr. J.L.B. Matekoni, même si celui-ci s'était pratiquement rétabli de sa dépression. Or, s'entendre réclamer des dates représenterait sans aucun doute pour lui une source de stress, aussi ne dit-elle rien et s'engagea-t-elle même — toujours pour éviter les tensions — à parler à Mma Makutsi, dans un avenir proche, afin de déterminer si elle pouvait l'assister d'une manière ou d'une autre dans ce problème de mari, par le biais de quelques conseils habilement formulés.

Pendant la maladie de Mr. J.L.B. Matekoni, on avait installé l'Agence N° 1 des Dames Détectives à l'arrière du Tlokweng Road Speedy Motors. L'arrangement s'était révélé rentable : les affaires du garage pouvaient être aisément supervisées depuis ce bureau et les clients de l'agence bénéficiaient d'une entrée indépendante. Chacune des deux entreprises en tirait en outre avantage. Certaines personnes qui apportaient leur voiture à réparer s'apercevaient qu'elles avaient un problème susceptible d'être tiré au clair grâce à une enquête — un époux dévoyé, par exemple, ou un parent disparu —, tandis que les clients de l'agence profitaient de leur visite pour confier leur véhicule à réviser ou leurs freins à régler.

Mma Ramotswe et Mma Makutsi avaient disposé leurs bureaux de manière à pouvoir engager la conversation si elles le souhaitaient, sans pour autant se retrouver à longueur de journée les yeux fixés sur l'autre. Si Mma Ramotswe se tournait légèrement sur sa chaise, elle pouvait s'adresser à Mma Makutsi, installée à l'autre extrémité de la pièce, sans avoir à se tordre le cou ou à parler par-dessus son épaule, et Mma Makutsi pouvait faire de même si elle avait besoin de poser une question à son employeur.

À présent, les quatre lettres arrivées au courrier du matin avaient été lues et classées, de sorte que Mma Ramotswe suggéra à son assistante de prendre le thé. Il était un peu plus tôt que d'ordinaire pour cela, mais il faisait chaud et elle avait toujours estimé que la meilleure façon de combattre la chaleur était de boire une tasse de thé accompagnée d'un biscuit Ouma, suffisamment ramolli dans le liquide pour être mordu sans faire mal aux dents.

— Mma Makutsi, commença Mma Ramotswe lorsque l'assistante eut déposé la tasse de thé sur son bureau, êtes-vous heureuse ?

Mma Makutsi, qui avait presque atteint son propre bureau, s'immobilisa net.

— Pourquoi me demandez-vous ça, Mma ? fit-elle. Pourquoi me demandez-vous si je suis heureuse ?

Son cœur avait cessé de battre. Elle vivait dans la hantise de perdre sa place et cette question, pensait-elle, ne pouvait que servir de préliminaire à une suggestion : qu'elle quitte cet emploi pour aller travailler ailleurs. Cependant, il n'y aurait pas d'autre emploi pour elle, ou du moins aucun qui ressemblât un tant soit peu à celui-là. Ici, elle était assistante détective et ex-directrice par intérim d'un garage (ce qu'elle était peut-être encore, d'ailleurs). Si elle changeait, elle se retrouverait dactylo, ou, au mieux, simple secrétaire, contrainte d'obéir au doigt et à l'œil aux ordres d'une tierce personne. Et jamais elle ne recevrait le salaire que lui versait l'agence, auquel venait s'ajouter la prime obtenue grâce à son travail au garage.

— Vous ne voulez pas vous asseoir, Mma ? suggéra Mma Ramotswe. Comme cela, nous pourrons boire le thé toutes les deux et vous me direz si vous êtes heureuse ou non.

Mma Makutsi se remit lentement en mouvement et s'installa à son bureau. Elle saisit sa tasse, mais sa main tremblait tant qu'elle dut la reposer aussitôt. Pourquoi la vie était-elle aussi injuste ? Pourquoi les meilleures places étaient-elles réservées aux jolies filles, celles qui avaient eu toutes les peines du monde à décrocher un cinquante sur cent à l'examen final de l'Institut de secrétariat du Botswana, alors qu'elle-même, avec ses résultats brillants, avait rencontré tant de difficultés à trouver du travail ? Il n'y avait pas de réponse logique à cette question. L'injustice était décidément une caractéristique incontournable de l'existence, du moins quand on s'appelait Mma Makutsi, que l'on venait de Bobonong, dans le nord du Botswana, et que l'on avait un père dont les vaches avaient toujours été maigres. Tout, semblait-il, était injuste.

— Je suis très heureuse, répondit Mma Makutsi d'une toute petite voix. Je suis très heureuse de travailler ici. Je ne veux pas changer.

Mma Ramotswe se mit à rire.

— Oh, le travail ! Mais bien sûr qu'il vous plaît ! Nous le savons. Et nous sommes très heureux de vous avoir. Mr. J.L.B. Matekoni et moi-même sommes très heureux. Vous êtes notre main droite à tous les deux. Tout le monde sait cela.

Il fallut un certain temps à Mma Makutsi pour absorber le compliment, mais lorsqu'elle l'eut fait, elle sentit le soulagement envahir tout son être. Elle souleva sa tasse de thé d'une main désormais ferme et avala une longue gorgée du breuvage rouge.

— Ce que je veux vraiment savoir, poursuivit Mma Ramotswe, c'est si vous êtes heureuse dans votre… au fond de vous. Obtenez-vous ce que vous attendez de la vie ?

Mma Makutsi réfléchit.

— Je ne sais pas très bien ce que j'attends de la vie, déclara-t-elle au bout d'un moment. Avant, j'avais envie de devenir riche, mais maintenant que je connais des gens riches, je n'en suis plus si sûre.

— Les gens riches sont comme les autres, fit remarquer Mma Ramotswe. Je n'ai jamais rencontré de personnes riches qui ne soient pas exactement comme vous et moi. Être heureux ou malheureux n'a rien à voir avec l'argent.

Mma Makutsi hocha la tête.

— Si bien que, maintenant, je sais que le bonheur ne vient pas de l'extérieur. Il vient de l'intérieur.

— De l'intérieur ?

Mma Makutsi ajusta ses grandes lunettes. C'était une lectrice assidue et elle adorait les conversations de ce genre, qu'elle pouvait enrichir de fragments d'articles glanés dans les vieux numéros du *National Geographic* et du *Mail and Guardian*.

— Le bonheur se trouve dans la tête, expliqua-t-elle en s'échauffant un peu. Si la tête est remplie de bonheur, la personne est heureuse. C'est évident.

— Et le cœur ? hasarda Mma Ramotswe. Est-ce que le cœur n'intervient pas là-dedans ?

Il y eut un silence. Mma Makutsi baissa les yeux et dessina du bout de son doigt sur un coin poussiéreux de la table.

— Le cœur, c'est là où se loge l'amour, murmura-t-elle.

Mma Ramotswe prit une profonde inspiration.

— Et vous n'aimeriez pas avoir un mari, Mma Makutsi ? demanda-t-elle avec douceur. Cela ne vous rendrait-il pas plus heureuse d'avoir un mari qui prendrait soin de vous ? Je me posais la question, ajouta-t-elle après un silence, c'est tout.

Mma Makutsi la contempla un moment, puis elle retira ses lunettes et les essuya sur un coin de son mouchoir. C'était son mouchoir préféré, bordé de dentelle, mais il commençait à s'effilocher et il ne durerait plus très longtemps. Elle l'aimait cependant et rachèterait exactement le même dès qu'elle en aurait les moyens.

— Bien sûr que j'aimerais avoir un mari, répondit-elle enfin. Mais il y a beaucoup de jolies filles... Ce sont elles qui attirent les hommes. Si bien qu'il n'en reste plus pour moi.

— Mais vous êtes une belle femme, protesta Mma Ramotswe, catégorique. Je suis sûre que beaucoup d'hommes seront d'accord avec moi sur ce point.

Mma Makutsi secoua la tête.

— Je ne crois pas, Mma. Mais c'est très gentil à vous de me dire ça.

— Peut-être devriez-vous tenter de trouver un mari, insista Mma Ramotswe. Peut-être devriez-vous faire des efforts pour cela si aucun homme ne croise votre chemin. Essayer d'aller à leur rencontre.

— Où ? interrogea Mma Makutsi. Où sont ces hommes dont vous parlez ?

Mma Ramotswe agita la main en direction de la porte d'entrée et de l'Afrique, au-delà.

— Dehors, dit-elle. Il y a des hommes partout. Il faut les rencontrer.

— Mais où exactement ?

— Au centre-ville. On en voit des tas à l'heure du déjeuner. Des hommes. Des centaines d'hommes.

— Tous mariés, objecta Mma Makutsi.

— Ou alors dans les bars ? reprit Mma Ramotswe avec le sentiment que la conversation ne prenait pas le tour prévu.

— Mais vous savez bien quel genre d'hommes traînent dans les bars, protesta Mma Makutsi. Les bars sont pleins d'hommes qui cherchent des filles de mauvaise vie.

Mma Ramotswe dut se rendre à l'évidence. Les bars attiraient des hommes semblables à Note Mokoti et à ses amis ; jamais elle n'en souhaiterait un de ce genre à Mma Makutsi. Mieux valait encore, de loin, rester célibataire que de se lier à une personne qui ne ferait que vous rendre malheureuse.

— C'est très gentil à vous de penser à moi comme ça, déclara Mma Makutsi au bout d'un moment. Mais Mr. J.L.B. Matekoni et vous ne devez pas vous faire de souci. Je suis assez heureuse et s'il est écrit qu'il y a un homme pour moi, je suis sûre que je finirai par le rencontrer. Et ce jour-là, tout changera.

Mma Ramotswe saisit cette occasion de clore la conversation.

— Je suis sûre que vous avez raison, dit-elle.

— Peut-être, conclut Mma Makutsi.

Mma Ramotswe entreprit de trier une liasse de documents posés sur son bureau. Elle était attristée par le sentiment de défaite qui s'emparait de son assistante chaque fois que la conversation portait sur la vie privée. Mma Makutsi n'avait pas à éprouver un tel abattement. Certes, son existence n'avait pas été rose jusque-là — on ne devait pas sous-estimer les difficultés que l'on pouvait rencontrer lorsqu'on avait grandi à Bobonong, ce lieu aride et lointain d'où venait Mma Makutsi —, mais des milliers de gens originaires de villages aussi isolés parvenaient malgré tout à faire quelque chose de leur vie. Si l'on passait son temps à ressasser « *Je suis une pauvre fille qui vient d'un coin perdu du bush* », à quoi bon faire des efforts ? Il fallait bien venir de quelque part, et la majorité des gens étaient nés dans des villages qui n'avaient rien de prestigieux. Et puis, même si l'on avait vu le jour à Gaborone, c'était nécessairement dans une certaine maison de cette ville, ce qui signifiait, en fin de compte, que l'on était de toute façon issu d'un tout petit coin de la terre. Et ce tout petit coin de la terre n'équivalait-il pas à n'importe quel autre tout petit coin de la terre ?

Mma Makutsi devait gagner en estime d'elle-même, songea Mma Ramotswe. Elle ne devait pas perdre de vue qu'elle était citoyenne du Botswana, le plus beau pays d'Afrique, et qu'elle comptait parmi les diplômées les plus distinguées de l'Institut de secrétariat du Botswana, deux raisons d'être fière. Il fallait être fière d'être motswana, d'appartenir à une nation qui n'avait jamais rien fait dont on pût avoir honte. Cette nation s'était toujours comportée avec la plus parfaite intégrité, même dans les périodes où elle avait été amenée à combattre des voisins en proie à la guerre civile. Elle était en outre toujours restée honnête, indemne de cette corruption ruineuse qui avait jeté l'opprobre sur tant d'autres États africains et dilapidé les richesses d'un continent entier. Elle ne s'était jamais abaissée à cela, parce que Sir Seretse Khama, ce grand homme que le père de Mma Ramotswe avait personnellement salué à Mochudi, avait clairement fait comprendre à chaque citoyen qu'il ne fallait ni accepter de pots-de-vin ni en proposer, et que tous devaient se garder de s'approprier de l'argent qui appartenait au pays. Et chacun l'avait écouté et avait obéi à ce précepte, car on reconnaissait en lui des qualités de grand chef que ses ancêtres, les Khama, possédaient depuis toujours. Des qualités qui ne pouvaient s'acquérir en un jour : il fallait des générations pour les faire mûrir (quoi qu'on en dise). Voilà pourquoi, à l'instant de sa rencontre avec Seretse Khama, la reine Élisabeth II avait su à quel homme elle avait affaire. Elle l'avait su parce qu'elle avait reconnu en lui le genre d'individu qu'elle était elle-même : une personne élevée pour servir. Mma Ramotswe n'ignorait rien de tout cela, mais elle se demandait parfois si des gens légèrement plus jeunes — des gens comme Mma Makutsi — comprenaient quel grand homme avait été le premier président du Botswana et à quel point la reine elle-même l'avait admiré. Cela avait-il le moindre sens pour l'assistante-détective ? Pouvait-elle *se rendre compte* ?

Mma Ramotswe était royaliste, bien sûr. Elle admirait les monarques lorsque ceux-ci se montraient respectables et se comportaient de façon correcte. Elle admirait le roi du Lesotho parce qu'il était un descendant direct de Moshoeshoe Ier, qui avait sauvé son pays des Boers et était un homme bon et sage (et modeste aussi : ne s'était-il pas décrit comme « une puce dans la couverture de la reine Victoria » ?). Elle admirait le vieux roi du Swaziland, Sobhuza II, qui avait eu cent quarante et une épouses, toutes en même temps. Elle l'admirait malgré toutes ces épouses, car cela relevait d'une approche très traditionaliste de l'existence. Elle l'admirait parce qu'il aimait son peuple et qu'il avait toujours refusé d'appliquer la peine de mort, toujours — à une exception près au cours de son long règne : un cas très grave de meurtre en sorcellerie — accordant sa grâce au dernier moment. (Quelle sorte d'homme, se demandait-elle, était capable de répondre froidement à un être qui suppliait qu'on lui laisse la vie sauve : *« Non, vous devez mourir »*?) Il existait d'autres rois et reines, bien sûr, et pas seulement en Afrique. Il y avait la défunte reine des îles

Tonga, qui était très particulière en raison de sa corpulence. Mma Ramotswe l'avait vue dans une encyclopédie, où sa photographie occupait deux pages tant elle était grosse. Et il y avait celle des Pays-Bas, qu'elle avait vue dans un magazine, avec, au-dessous, un énigmatique commentaire qui la présentait comme la reine Orange. Effectivement, la souveraine portait une tenue orange assortie à des chaussures orange et marron. Mma Ramotswe s'était dit qu'elle aimerait rencontrer cette femme, qui semblait si sympathique et souriait avec chaleur (mais quelle était cette Maison d'Orange, s'était-elle demandé, où l'on disait que cette reine habitait ?). Peut-être viendrait-elle un jour au Botswana avec ses chaussures bicolores, mais il ne fallait pas trop y compter. Personne ne venait au Botswana, tout simplement parce que les gens ne soupçonnaient pas l'existence de ce pays. Ils n'en avaient jamais entendu parler. Jamais.

Mma Makutsi aurait sans doute intérêt à méditer sur l'exemple de cette reine Orange au sourire agréable et à la vision du monde manifestement optimiste. Elle devrait se souvenir que, même si elle venait de Bobonong, elle avait tourné la page et pouvait désormais se considérer comme une habitante de la capitale, de Gaborone même. Elle devrait également songer que, malgré son teint qu'elle trouvait trop sombre, il existait de nombreux hommes qui s'estimeraient très heureux de vivre avec une femme comme elle plutôt qu'avec l'une de ces pâles créatures que l'on voyait parfois, la peau marbrée à force d'application de crèmes éclaircissantes. Quant à ces grosses lunettes que portait Mma Makutsi, peut-être certains les trouveraient-ils intimidantes, mais beaucoup d'autres ne les remarqueraient même pas — les hommes ne remarquaient jamais ce que portaient les femmes en général, quels que fussent les efforts que celles-ci déployaient pour soigner leur mise.

C'était le problème avec les hommes : la plupart du temps, ils gardaient les yeux fermés, ou presque, au point que Mma Ramotswe en venait parfois à se demander s'ils avaient vraiment envie de voir le monde, ou s'ils avaient décidé de ne se pencher que sur ce qui les intéressait. Les femmes, au contraire, se révélaient très douées pour tout ce qui réclamait une attention particulière aux sentiments d'autrui. Ainsi le métier de détective privé était un domaine où elles ne pouvaient qu'exceller (pour vous en convaincre, voyez le succès de l'Agence N° 1 des Dames Détectives !). Car elles privilégiaient toujours l'observation et cherchaient à comprendre ce qui se passait dans la tête des gens. Bien sûr, certains hommes pouvaient en faire autant — on songeait aussitôt à Clovis Andersen, l'auteur des *Principes de l'investigation privée*, dont le livre déjà bien écorné trônait en bonne place sur l'étagère, juste derrière le bureau de Mma Ramotswe. Clovis Andersen devait être très sympathique, pensait-elle. Il avait des points communs avec les femmes, par exemple lorsqu'il conseillait d'étudier de près la tenue vestimentaire des gens. (*Les vêtements fournissent de nombreux indices sur la personnalité de ceux qui les portent. Ils sont très révélateurs. Ils parlent. Ainsi, quand un homme ne met pas de cravate, ce n'est pas parce qu'il n'en possède pas — sa garde-robe doit au contraire en compter un nombre appréciable —, mais parce qu'il a choisi de ne pas en porter. Cela indique qu'il cherche à paraître désinvolte.*) La lecture de ce passage avait laissé Mma Ramotswe perplexe. Elle se demandait où l'auteur voulait en venir, car elle ne voyait pas trop ce que l'on pouvait déduire du fait qu'un homme cherche à paraître désinvolte. Une chose était sûre cependant : comme toutes les observations de Clovis Andersen, celle-ci devait avoir son importance.

Elle releva les yeux pour observer Mma Makutsi, qui s'appliquait à dactylographier une lettre rédigée au brouillon par Mma Ramotswe en début de matinée. Nous devons essayer de l'aider, songea-t-elle. Nous devons la pousser à améliorer l'opinion qu'elle a d'elle-même. Mma Makutsi était une femme estimable, dotée de talents multiples, et il était absurde qu'elle continue à traverser la vie en pensant qu'elle ne valait rien, sous prétexte qu'elle n'avait pas de mari. C'était du gâchis. Mma Makutsi méritait le bonheur. Elle méritait d'aspirer à autre chose qu'à cette morne existence qu'elle menait dans sa chambre de Old Naledi ; une chambre qu'elle partageait avec son frère malade et où la lumière n'entrait pas. Tout individu méritait mieux que cela, même dans ce monde malheureux, un monde qui avait apporté tant de bénédictions à Mma Ramotswe, mais qui semblait rechigner à apprécier Mma Makutsi à sa juste valeur. Nous allons changer cela, décida Mma Ramotswe, parce qu'il est possible de transformer les choses quand on a de la détermination et une vision bien nette de ce qu'il convient de modifier.

CHAPITRE II

Apprenez à conduire avec Jésus

La vie reprenait son cours au garage Tlokweng Road Speedy Motors (et, par conséquent, à l'Agence N° 1 des Dames Détectives). Mr. J.L.B. Matekoni avait renoué avec sa vieille habitude d'arriver un peu avant sept heures et, lorsqu'ils franchissaient le seuil de l'atelier, les deux apprentis le trouvaient absorbé dans sa ronde d'inspection, examinant le bas-ventre d'une voiture à la lueur de sa torche. D'après leur contrat, les apprentis devaient travailler huit heures par jour, avec un arrêt réservé aux études tous les trois mois, mais Mr. J.L.B. Matekoni avait cessé d'espérer les voir se plier à ce règlement. Les deux garçons arrivaient certes au garage à huit heures pour repartir à cinq, ce qui représentait neuf heures de présence par jour ; mais de ce total il convenait de déduire une heure pour le déjeuner et deux pauses de trois quarts d'heure pour le thé. C'étaient ces dernières qui posaient problème. Quand leur patron leur demandait de les réduire, les apprentis opposaient une résistance passive, mais déterminée. Mr. J.L.B. Matekoni avait fini par abandonner : c'était un homme généreux qui détestait les conflits.

— Ici, c'est la belle vie pour vous ! leur avait-il lancé plus d'une fois. Mais n'allez pas vous imaginer que tous les patrons sont comme moi. Quand vous aurez terminé votre apprentissage — *si vous le terminez un jour* —, vous devrez chercher un autre emploi, un vrai travail, et alors là, vous comprendrez...

— On comprendra quoi, patron ? avait demandé l'aîné des apprentis avec un petit sourire complice à son ami.

— Vous comprendrez à quoi ressemble le monde du travail, avait répondu Mr. J.L.B. Matekoni. Et ce que signifie travailler dur.

Moqueur, l'apprenti avait roulé des yeux faussement terrifiés.

— Mais vous allez nous garder, hein, patron ? Sans nous, vous ne pouvez rien faire, hein ?

L'arrivée de Mma Makutsi au poste de directrice par intérim avait modifié la donne, mais les pauses avaient subsisté. Mma Makutsi avait d'emblée fait comprendre aux apprentis qu'elle ne tolérerait pas leurs inepties et ils avaient vite abandonné leurs manières nonchalantes. Mma Ramotswe avait eu peine à s'expliquer l'origine de cette transformation radicale. Peut-être tenait-elle au fait qu'ils travaillaient pour une femme, ce qui les poussait à montrer de quoi ils étaient capables, mais elle avait fini par conclure qu'il devait s'agir d'un phénomène beaucoup plus profond. S'il était évident que les apprentis cherchaient à impressionner leur nouvelle directrice, il semblait en outre que celle-ci était parvenue à leur insuffler la fierté du travail bien fait. À présent, avec le retour de Mr. J.L.B. Matekoni, les deux femmes se demandaient si le changement tiendrait la route.

— Ces garçons se sont bien améliorés, remarqua Mr. J.L.B. Matekoni peu après son retour. Ils sont toujours un peu paresseux, ce qui doit tenir à leur nature, et ils continuent à parler de filles pendant des heures, je pense qu'ils ne peuvent rien faire contre ça, mais je trouve que leur travail est plus net… plus… moins… moins…

— Moins sale ? suggéra Mma Ramotswe.

— Oui. C'est ça. Avant, ils faisaient tout en dépit du bon sens, comme tu le sais. Maintenant, ça va mieux. Et ils sont moins brutaux avec les moteurs. On dirait qu'ils ont appris quelque chose durant mon absence.

D'autres transformations commençaient également à se faire jour — des transformations que Mr. J.L.B. Matekoni ne soupçonnait pas encore. Ce fut Mma Ramotswe qui, la première, sentit qu'il se passait quelque chose. Elle voulut s'en assurer auprès de Mma Makutsi avant d'en toucher un mot à Mr. J.L.B. Matekoni. Mma Makutsi fut étonnée : elle avait été trop absorbée par son travail pour le remarquer, se défendit-elle. Sinon, elle aurait certainement relevé des indices du changement. Après une discrète conversation avec Charlie, l'aîné des apprentis, elle fut en mesure de confirmer les soupçons de Mma Ramotswe.

— Vous aviez raison, déclara-t-elle. Le plus jeune des deux a entendu la voix du Seigneur. Pourtant, c'était le plus enragé avec les filles. Il ne pensait qu'à leur courir après, souvenez-vous. Maintenant, il s'est enrôlé dans l'une de ces Églises qui organisent des processions. C'est le Seigneur qui lui a commandé de le faire, m'a expliqué Charlie. Lui non plus n'en revient pas. Il est très déçu que son ami n'aime plus parler des filles. Ça ne lui plaît pas du tout.

La nouvelle fut annoncée à Mr. J.L.B. Matekoni, qui poussa un long soupir. Ces apprentis étaient un mystère pour lui et il attendait avec impatience le jour où il en serait libéré, tout en se demandant si ce jour arriverait. La vie était devenue très compliquée et le garagiste n'était pas sûr d'apprécier la nouvelle tournure que les choses avaient prise. Autrefois, tout était simple : il travaillait seul au garage et ne devait se soucier que de lui-même. À présent, il y avait Mma Makutsi, les deux apprentis et Mma Ramotswe, sans parler des deux petits orphelins dont il s'était chargé. Il avait pris cette dernière initiative à la légère, mais il ne le regrettait pas. Les enfants semblaient si heureux chez Mma Ramotswe, dans la maison de Zebra Drive, qu'il eût été peu charitable de leur en tenir rigueur. Toutefois, même dans ces conditions, passer de la responsabilité d'une seule personne, lui-même, à celle de six autres représentait une étape propre à décourager n'importe quel homme, si solide fût-il.

Tandis que Mr. J.L.B. Matekoni s'imaginait qu'il était responsable de son entourage, ses proches s'imaginaient pour leur part qu'ils étaient responsables de lui. Mma Makutsi, par exemple, avait pris son rôle au garage avec le plus grand sérieux. Elle avait remanié la gestion de la comptabilité et amélioré la trésorerie. Elle avait procédé à un inventaire complet du stock et dressé la liste des pièces détachées entreposées dans la remise. Elle avait trié les factures d'essence, qui étaient dans un désordre total à son arrivée. Tout cela représentait une belle réussite, elle le savait, mais elle se faisait du souci malgré tout. Même si elle n'était pas en déficit, l'Agence N° 1 des Dames Détectives ne réalisait guère de profits. Le garage rapportait plus, mais les salaires des apprentis constituaient un poste important. Pour prospérer, surtout à l'heure où les frais bancaires augmentaient, il faudrait attirer davantage de clients ou — ce qui l'enthousiasmait — se diversifier. Diriger le garage avait représenté un défi qu'elle avait relevé avec brio ; pourquoi ne pas se lancer désormais dans une autre activité ? Le vertige la saisit un instant lorsqu'elle s'imagina à l'origine d'une entreprise florissante. Usines, fermes, boutiques, tout était possible, à condition de se donner la peine d'essayer. Mais par où commencer ? L'alliance de l'Agence N° 1 des Dames Détectives au Tlokweng Road Speedy Motors avait été un développement naturel, consécutif aux fiançailles de leurs propriétaires respectifs. Imaginer quelque chose de totalement nouveau s'annonçait plus difficile.

L'idée germa dans son esprit un beau matin, alors qu'elle se préparait du thé rouge. Mma Ramotswe était partie faire des courses et Mr. J.L.B. Matekoni testait une voiture qu'il se proposait de vendre pour une vieille cliente. On ne pouvait plus vraiment appeler cela une voiture, lui avait-il expliqué, mais il se sentait responsable des véhicules de ses clients de leur naissance jusqu'à leur mort, pour ainsi dire, de même qu'un médecin de famille à l'ancienne suivait ses patients tout au long de leur vie. La tasse de thé fumant à la main, elle gagna l'atelier où les deux apprentis, assis sur des bidons d'essence retournés, observaient un chien maigre qui flairait l'entrée du garage.

— Vous m'avez l'air débordés, remarqua-t-elle.

L'aîné des apprentis lui lança un regard irrité.

— C'est la pause, Mma. On boit du thé, comme vous. On ne peut pas travailler sans arrêt.

Mma Makutsi hocha la tête. Elle n'avait aucune envie de remonter les bretelles aux deux apprentis, comme elle l'avait fait régulièrement et avec efficacité durant la maladie de Mr. J.L.B. Matekoni. Elle était là pour leur demander leur avis sur l'idée qu'elle venait d'avoir.

— J'ai réfléchi à une façon de développer le garage, annonça-t-elle avant d'avaler une gorgée de son thé rouge. J'aimerais savoir ce que vous en pensez.

— Vous avez toujours plein d'idées, Mma, commenta le plus jeune. Ça ne vous fait pas mal à la tête, à force ?

Mma Makutsi sourit.

— Ce sont les idées compliquées qui font mal, affirma-t-elle. Les miennes sont toujours simples.

— Moi aussi, j'ai des idées simples, lança l'aîné. Je pense aux filles. Voilà mes idées. C'est simple. Les filles, et encore les filles.

Ignorant l'intervention, Mma Makutsi poursuivit à l'adresse de l'autre apprenti :

— Beaucoup de gens ont besoin d'apprendre à conduire, n'est-ce pas ?

Le jeune homme haussa les épaules.

— Ils peuvent apprendre. Ce ne sont pas les petites routes qui manquent pour s'entraîner.

— Mais cela ne les aide pas à conduire en ville, objecta Mma Makutsi. Il y a tellement de choses qui se passent en ville. Des voitures qui débouchent de tous les côtés. Des gens qui traversent…

— Et des filles, compléta le plus âgé. Des dizaines de filles qui se promènent. Tout le temps.

Le plus jeune se tourna pour faire face à son ami.

— Mais qu'est-ce qui ne va pas chez toi ? Tu ne penses qu'à ça !

— Toi aussi, rétorqua l'autre. Celui qui prétend ne pas penser aux filles est un menteur. Tous les hommes y pensent. Ils adorent ça.

— Peut-être, mais pas tout le temps ! protesta le plus jeune. On peut aussi penser à autre chose.

— C'est faux. Quand on arrête de penser aux filles, ça veut dire qu'on va mourir. C'est bien connu.

— Vos histoires ne m'intéressent pas, trancha Mma Makutsi. D'ailleurs, il paraît que l'un de vous deux a changé.

Elle s'interrompit, fixant le plus jeune dans l'espoir d'obtenir confirmation, mais le garçon se contenta de baisser les yeux.

— Bon, poursuivit-elle. Je vais vous exposer mon idée. Je crois qu'elle est bonne. Vous me direz ce que vous en pensez.

— Allez-y, fit l'aîné. Nous vous écoutons.

Mma Makutsi baissa la voix, comme si des espions étaient dissimulés dans les recoins sombres du garage. Les apprentis se penchèrent pour l'entendre.

— Nous devrions ouvrir une auto-école, annonça-t-elle. Je vais me renseigner, mais je ne pense pas qu'il y en ait suffisamment. Nous pourrions en créer une nouvelle et donner des cours après la fermeture du garage. Nous prendrions quarante pula[1] l'heure. Vingt pour le professeur et vingt pour Mr. J.L.B. Matekoni, puisque nous utiliserions un véhicule à lui. Ce serait un grand succès.

Les apprentis la dévisagèrent un long moment sans rien dire. Ce fut le plus âgé qui prit la parole le premier :

— Moi, je ne veux rien avoir à faire là-dedans, déclara-t-il. Après le travail, j'ai envie de voir mes copains. Je n'ai pas le temps de donner des leçons de conduite.

Mma Makutsi se tourna vers le deuxième.

— Et toi ?

Le jeune apprenti sourit.

1. Unité monétaire du Botswana, signifie « pluie » en setswana. 1 pula = 100 theba. *(N.d.T.)*

— Vous êtes une femme très intelligente, Mma, dit-il. Je trouve que c'est une bonne idée.

— Voilà ! s'exclama Mma Makutsi en se tournant vers l'autre. Tu vois, ton ami a une vision positive des choses ! Toi, tu es un inutile. À force de penser aux filles, regarde comme ton cerveau s'est rétréci !

Le plus jeune apprenti eut un sourire narquois.

— Tu entends ? Elle a raison. Tu devrais l'écouter plus souvent. Et alors, reprit-il à l'adresse de Mma Makutsi, comment allez-vous appeler cette auto-école, Mma ?

— Je n'y ai pas encore réfléchi, avoua-t-elle. Mais je trouverai bien quelque chose. Le nom que l'on donne à une entreprise est très important. C'est pour cela que l'Agence N° 1 des Dames Détectives a connu un tel succès. Le nom dit tout ce qu'on doit savoir sur l'entreprise.

Le jeune apprenti lui lança un regard plein d'optimisme.

— Moi, j'ai une idée, dit-il. On pourrait l'appeler *Apprenez à conduire avec Jésus*.

Un long silence suivit ces paroles. L'aîné des apprentis jeta un coup d'œil à son ami, puis se détourna.

— Je ne sais pas, déclara enfin Mma Makutsi. Il faut que j'y réfléchisse, mais je ne crois pas.

— C'est un très bon nom, soutint le jeune apprenti. Il va attirer une catégorie de conducteurs prudents et nous n'aurons pas d'accidents, puisque le Seigneur sera avec nous.

— Je l'espère, dit Mma Makutsi. Je vais en parler à Mr. J.L.B. Matekoni pour voir ce qu'il en pense. Merci pour la suggestion.

CHAPITRE III

Meurtre d'un moqueur d'Afrique

Mma Ramotswe faisait son marché. Avant l'arrivée des deux orphelins à la maison, cette tâche était simple et elle n'avait guère besoin de s'approvisionner plus d'une fois par semaine. À présent, les placards se vidaient à toute vitesse. Quarante-huit heures plus tôt, elle avait acheté de la farine (un gros sac) et, déjà, il n'en restait plus, tandis que le gâteau préparé par Motholeli, la fillette, avait été consommé dans son intégralité par Puso, le petit frère. C'était bon signe, bien sûr : les garçons devaient avoir de l'appétit et il était naturel qu'ils mangent de grosses quantités de gâteaux et de friandises. En grandissant, ils se mettaient à préférer la viande, qui était très saine pour les hommes. Mais toute cette nourriture coûtait de l'argent et sans la généreuse contribution de Mr. J.L.B. Matekoni — contribution qui couvrait l'entretien des enfants dans son intégralité —, Mma Ramotswe se serait vite trouvée à court.

L'idée d'accueillir les orphelins était venue de Mr. J.L.B. Matekoni, et même si Mma Ramotswe ne regrettait pas de les avoir pris sous son aile, elle aurait préféré être consultée au préalable. Non que voir Motholeli confinée dans un fauteuil roulant et se savoir responsable d'une enfant handicapée lui pèsent, mais elle estimait qu'une décision de cette importance aurait dû faire au moins l'objet d'une discussion. Seulement, Mr. J.L.B. Matekoni ne savait pas dire non ; le problème venait de là, mais n'était-ce pas justement pour cela qu'elle l'aimait ? Mma Silvia Potokwane, directrice de la ferme des orphelins, l'avait compris et, comme toujours, elle avait réussi à offrir le meilleur des arrangements possibles à ces enfants dont elle avait la charge. Sans doute prévoyait-elle depuis plusieurs mois déjà de confier ces deux-là à Mr. J.L.B. Matekoni, en se doutant bien sûr qu'ils ne resteraient pas longtemps chez lui, près de l'ancien aéroport militaire du Botswana, mais iraient vite s'installer dans la maison de Zebra Drive. Évidemment, après le mariage (qui aurait lieu un jour ou l'autre, mais quand ?), toute la famille vivrait sous le même toit. Les enfants avaient hâte de voir ce jour arriver et ils posaient parfois la question. Mma Ramotswe leur répondait qu'il fallait attendre que Mr. J.L.B. Matekoni décide lui-même d'une date.

— Mr. J.L.B. Matekoni ne fait rien dans la précipitation, leur avait-elle expliqué. C'est quelqu'un de prudent. Il aime prendre son temps.

Puso, surtout, semblait impatient et elle comprenait qu'en réalité le petit garçon avait besoin d'un père. Le moment venu, Mr. J.L.B. Matekoni serait ce père, mais, en attendant, Puso, qui n'avait jamais eu de parents, devait douter que cela arriverait. Pour un enfant de six ans, une semaine passait lentement ; un mois paraissait une éternité.

Motholeli, qui avait tant souffert et s'était montrée si courageuse, comprenait. Elle avait l'habitude d'attendre et, bien sûr, la moindre action lui réclamait plus de temps, car il lui fallait manœuvrer son fauteuil pour franchir les seuils toujours trop étroits et passer dans des couloirs aboutissant sur des pas de porte peu commodes. Il était rare de la voir manifester la moindre contrariété et, lorsque cela se produisait, sa mauvaise humeur ne durait pas longtemps. Aussi, quand Mma Ramotswe rentra de ses courses et se rendit dans la cuisine pour se décharger des innombrables sacs de papier brun, fut-elle très surprise de ne pas recevoir l'accueil jovial de Motholeli. La fillette se contenta d'un regard morne.

Mma Ramotswe posa les paquets sur la table.

— Toutes ces courses ! s'exclama-t-elle. J'ai acheté plein de viande. Et un poulet.

Elle s'interrompit. Elle savait que Motholeli aimait le potiron.

— Et j'ai pris aussi un potiron, ajouta-t-elle. Un gros. Bien jaune.

La fillette ne dit rien. Lorsqu'elle s'exprima enfin, ce fut d'une voix terne :

— C'est bien.

Mma Ramotswe la regarda. Motholeli était de bonne humeur lorsqu'elle l'avait quittée le matin : il avait dû se passer quelque chose à l'école. Elle se souvint de sa propre vie d'écolière, avec ses hauts et ses bas. Elle avait connu des drames sans importance alors — du moins, sans importance quand on les considérait avec un regard d'adulte — mais qui, à l'époque, lui semblaient graves et effrayants. Elle se rappela le jour où le directeur de l'école de Mochudi avait tenté de démasquer un petit voleur. L'un des enfants avait commis un larcin et le directeur avait fait venir un à un tous les élèves dans son bureau pour leur demander de poser la main sur une grosse Bible en setswana qu'il gardait sur sa table de travail. Sous son regard pénétrant, chacun d'eux avait dû dire : *« Je jure que je n'ai rien volé. »*

— Les innocents n'ont rien à craindre, avait-il expliqué au préalable dans la cour de récréation poussiéreuse, devant l'école réunie au grand complet. Mais celui qui ment la main posée sur la Bible sera frappé. C'est sûr et certain. Peut-être pas tout de suite, mais plus tard, au moment où il s'y attendra le moins. Ce sera la punition du Seigneur.

Un lourd silence avait accueilli ces paroles. Precious Ramotswe avait regardé le ciel mais n'y avait vu que du vide. C'était indubitablement vrai. Il arrivait que des gens soient frappés par la foudre ; peut-être était-ce parce qu'ils l'avaient mérité. Il devait s'agir de malfaiteurs, par exemple, ou pis encore. Il était évident que le voleur, quel qu'il fût, le savait aussi bien qu'elle et qu'il chancellerait avant de prononcer les paroles fatales. Pourtant, lorsque le dernier élève était sorti du bureau, suivi d'un directeur visiblement furieux, elle avait compris qu'elle s'était trompée et que l'un des enfants se trouvait en danger mortel. Qui cela pouvait-il être ? Elle nourrissait certains soupçons, bien sûr : chacun savait qu'Élijah Sebekedi n'était pas un garçon à qui l'on pouvait se fier, et même si personne ne l'avait jamais vu voler quoi que ce soit, comment faisait-il pour s'acheter ces boîtes de lait concentré qu'il buvait à la sortie de l'école, au vu et au su de tous ? Son père, on le savait, était un ivrogne qui dépensait tout l'argent de la maison en bière traditionnelle, ne laissant rien à sa famille. Les enfants ne survivaient que par la charité. Leurs chaussures et leurs vêtements étaient toujours reconnus par d'autres, qui les avaient abandonnés avec la conviction qu'ils ne pourraient plus faire d'usage. Il n'y avait donc qu'une seule explication aux boîtes de lait concentré d'Élijah.

Elle pensa à lui cette nuit-là, allongée sur son matelas à regarder le carré de lune qui se déplaçait doucement sur le mur de sa chambre d'enfant, face à la fenêtre. La saison des pluies arriverait sous peu et il y aurait des orages. Élijah Sebekedi devait trembler en ce moment : il y aurait bientôt la foudre. Elle ferma les yeux pour les rouvrir soudain, le cœur battant. Elle aussi avait menti ! Une semaine plus tôt à peine, elle avait trouvé un beignet sur la table de la cuisine et elle l'avait mangé. Elle n'avait pu résister à la tentation et s'était sentie coupable dès qu'elle avait fini de se lécher les doigts. Elle avait dit *« Je jure que je n'ai rien volé »* à haute voix, et elle l'avait même répété, parce que le directeur avait mal entendu la première fois qu'elle avait prononcé ces mots fatidiques, accablants. À présent, la foudre allait la frapper. Il n'y avait aucune échappatoire.

Elle dormit mal et demeura silencieuse à la table du petit déjeuner le lendemain matin. Mma Ramotswe avait perdu sa mère quand elle était bébé et pour tenir la maison et l'aider à s'occuper d'elle, son père faisait appel à diverses parentes qui se relayaient chez eux. Il semblait y avoir une réserve inépuisable de ces parentes, des femmes efficaces et affectueuses qui attendaient avec impatience le jour où ce serait leur tour de venir à Mochudi, afin de réorganiser tout ce que leur prédécesseur avait accompli dans la maison. C'étaient des femmes fières de leurs talents de ménagères, qui tenaient la cour impeccable, balayant le sable chaque jour et ramassant les fientes de poule pour les déposer sur le carré de melons. Des femmes qui comprenaient l'importance de récurer vos casseroles à fond, jusqu'à en bannir toute trace noire et les faire reluire. Il s'agissait là de petites choses, mais qui donnaient aux enfants une vision de la vie telle qu'ils devraient la mener plus tard, nette et droite.

Assise devant son petit déjeuner en compagnie de son père et de sa tante de Palapye, regardant les deux rayons du soleil matinal qui pénétraient dans la cuisine, Precious Ramotswe songeait que si le ciel se chargeait de nuages — comme cela pourrait arriver — et s'il y avait de la foudre — comme cela pourrait arriver —, elle ne serait peut-être pas assise à cette place le lendemain matin. Il ne restait qu'une solution : se confesser. Ce qu'elle fit aussitôt devant son père et sa tante. Après l'avoir écoutée avec étonnement, Obed Ramotswe se tourna vers la tante, qui se mit à rire et s'exclama :

— Mais il était pour toi, ce beignet ! Tu ne l'as pas volé !

Submergée par le soulagement, Precious Ramotswe fondit en larmes. Puis elle exposa aux adultes le triste sort qui attendait Élijah. Obed Ramotswe échangea un nouveau regard avec la tante.

— Ce n'est pas gentil de dire des choses pareilles aux enfants, affirma-t-il. Ce pauvre garçon ne sera pas frappé par la foudre, rassure-toi. Peut-être qu'il apprendra un jour qu'on ne doit pas voler. C'est à son père de lui expliquer ça, mais le problème, c'est que son père boit sans arrêt…

Il se tut. Il n'avait pas à critiquer un enseignant, surtout devant un enfant, mais les mots franchirent ses lèvres malgré lui :

— Il y a beaucoup plus de chances que le Seigneur punisse le directeur de ton école que ton petit camarade.

Pendant des années, Mma Ramotswe n'avait pas resongé à cet incident. À présent, en observant Motholeli, elle se demandait quel tourment pouvait bien provoquer cette tristesse. On prétendait que l'enfance était une période heureuse, mais ce n'était pas vrai.

L'école ressemblait souvent à une prison : on avait peur des grands et les enseignants nous terrifiaient, on ne pouvait parler à personne de ses problèmes, parce qu'on pensait que personne ne comprendrait. Peut-être les choses s'étaient-elles améliorées avec le temps. Les maîtres d'école n'avaient plus le droit de frapper les élèves comme ils le faisaient autrefois, quoique, pensait Mma Ramotswe, il existât certains garçons — et même certains jeunes hommes — qu'une bonne correction de temps en temps aurait sans doute assagis. Les apprentis du garage étaient de ceux-là : ne serait-il pas utile que Mr. J.L.B. Matekoni ait parfois recours au châtiment physique — modéré, bien entendu —, un simple coup de pied occasionnel dans le fond du pantalon, au moment où les garçons se penchaient pour changer un pneu ou accomplir une tâche quelconque ? Cette pensée la fit sourire. Elle se proposerait volontiers pour administrer la correction, ce qui, à n'en pas douter, se révélerait fort gratifiant, surtout sur le plus âgé des apprentis, celui qui continuait à ne penser qu'aux filles et qui avait un bon gros derrière sans doute bien agréable à botter. Comme il serait plaisant de se faufiler derrière lui et de le frapper alors qu'il ne s'y attendait pas du tout, en s'exclamant : « *Que cela te serve de leçon !* » Il n'y aurait rien d'autre à dire ; ce serait un coup qui dédommagerait l'ensemble des femmes, partout où elles se trouvaient.

Toutefois, ces pensées n'étaient pas sérieuses et elles n'aidaient pas à résoudre le problème immédiat : découvrir ce qui troublait Motholeli et la rendait si malheureuse.

Mma Ramotswe rangea les provisions et mit l'eau à chauffer pour le thé. Puis elle s'assit.

— On dirait que ça ne va pas, commença-t-elle. Il s'est passé quelque chose à l'école, c'est ça ?

Motholeli secoua la tête.

— Non, affirma-t-elle. Tout va bien.

— Ce n'est pas vrai, rétorqua Mma Ramotswe. En temps normal, tu es joyeuse. Tu es connue pour ça, d'ailleurs. Mais là, j'ai l'impression que tu as envie de pleurer. Je n'ai pas besoin d'être détective pour m'en apercevoir.

La fillette baissa les yeux.

— Je n'ai pas de mère, murmura-t-elle. Je suis une fille sans mère.

Mma Ramotswe sentit quelque chose la prendre à la gorge : un sentiment de compassion immédiat et intense. Ainsi, c'était cela. Sa mère lui manquait. Bien sûr. Sa mère lui manquait exactement comme la mère de Mma Ramotswe, que celle-ci n'avait jamais connue, lui avait manqué, exactement comme son père, son bon père, son doux père, Obed Ramotswe, dont elle était si fière, lui manquait chaque jour. Mma Ramotswe se leva et traversa la cuisine pour se pencher sur l'enfant et l'enlacer.

— Bien sûr que tu as une mère, Motholeli, chuchota-t-elle. Ta maman est là-haut, au paradis, et elle te regarde. Elle te regarde tout le temps. Et je vais te dire ce qu'elle pense. Elle pense : *« Je suis fière de cette bonne petite fille, de ma fille. Je suis fière de la voir travailler comme elle travaille et de la voir si bien s'occuper de son petit frère. »* Voilà ce qu'elle pense.

Elle sentit l'épaule de l'enfant se soulever et des larmes chaudes lui mouiller la joue.

— Il ne faut pas pleurer, ajouta-t-elle. Il ne faut pas être triste. Elle ne voudrait pas que tu sois triste, tu sais.

— Elle s'en fiche ! Elle se fiche de ce qui peut m'arriver !

Mma Ramotswe prit une inspiration.

— Tu ne dois pas dire ça, ce n'est pas vrai. Elle ne s'en fiche pas du tout.

— Ce n'est pas ce que cette fille m'a dit à l'école. Elle m'a dit que j'étais une fille qui n'avait pas de mère, parce que ma mère ne m'aimait pas, et que c'était pour ça qu'elle était partie. Voilà ce qu'elle m'a dit.

— Mais qui a pu te raconter des choses pareilles ? s'exclama Mma Ramotswe, en colère. Et qui est-elle, cette fille, pour te mettre ces mensonges dans la tête ?

— C'est une fille que tout le monde aime à l'école. Une fille très riche. Elle a plein d'amis et ils croient ce qu'elle dit.

— Son nom ? pressa Mma Ramotswe. Comment s'appelle cette fille si populaire ?

Motholeli le lui dit et Mma Ramotswe comprit aussitôt. Elle demeura un instant pensive, puis essuya les larmes de la fillette.

— Nous reparlerons de ça, promit-elle. Pour le moment, tu dois te rappeler que tout ce que t'a dit cette fille — tout, tu m'entends ? — est faux. Peu importe qui elle est. Cela ne change rien du tout. Tu as perdu ta maman parce qu'elle s'est fait mordre par un serpent. C'était une femme formidable, je le sais. Je me suis renseignée, c'est Mma Potokwane qui me l'a dit. Elle m'a dit que c'était une femme très forte et très bonne avec les gens. Souviens-toi de ça. Souviens-t'en et sois-en fière. Tu comprends ce que je te dis ?

La fillette releva la tête, puis acquiesça.

— Et il y a autre chose dont tu dois te souvenir, reprit Mma Ramotswe. Dont tu devras te souvenir toute ta vie. Sir Seretse Khama a expliqué que tous les citoyens du Botswana, *tous*, sont égaux. Alors personne ne peut venir te voir et te dire : *« Je suis meilleur que toi. »* Personne. Tu comprends ?

Mma Ramotswe attendit que Motholeli hoche la tête pour se relever.

— Bon. À présent, ajouta-t-elle, il faudrait commencer à préparer ce beau potiron. Comme ça, quand Mr. J.L.B. Matekoni arrivera pour dîner avec nous ce soir, le repas sera prêt et il pourra se régaler. Ça te ferait plaisir de cuisiner avec moi ?

Motholeli sourit.

— Très plaisir, Mma.

— Parfait, dit Mma Ramotswe.

Mr. J.L.B. Matekoni quitta le garage à cinq heures et gagna directement la maison de Zebra Drive. Il aimait les débuts de soirée, ce moment où la chaleur quitte le soleil et où il fait bon flâner, juste avant la tombée de la nuit. Ce soir-là, il avait prévu de consacrer un peu de temps à défricher le jardin, à l'arrière de la maison, avant de rejoindre Mma Ramotswe pour prendre le thé avec elle sur la véranda. Là, ils évoqueraient les événements du jour. Il y avait toujours quelque chose à commenter, des informations que Mma Ramotswe recueillait en faisant ses courses ou des sujets abordés dans le *Botswana Daily News* (à l'exception du football, auquel Mma Ramotswe ne trouvait aucun intérêt). Tous deux tombaient toujours d'accord : Mr. J.L.B. Matekoni se fiait au jugement de Mma Ramotswe pour tout ce qui concernait la nature humaine et la politique locale, tandis qu'elle s'en remettait à lui pour les questions économiques et agricoles. Les prix du bétail étaient-ils trop bas en ce moment ou au contraire raisonnables, étant donné ce que les usines de conserve et les bouchers étaient prêts à payer ? Mr. J.L.B. Matekoni possédait la réponse à ces questions et Mma Ramotswe avait remarqué qu'il ne se trompait jamais. Et que penser de ce nouveau politicien, qui venait d'être nommé ministre délégué ? Pouvait-on lui faire confiance ou ne se préoccupait-il que de lui-même ou, à la limite, de ses proches, de la ville où il était né ? De lui-même uniquement, considérait Mma Ramotswe, catégorique. Il suffisait, pour s'en convaincre, de regarder la façon dont il croisait les mains devant lui en parlant. C'était toujours un signe. Toujours.

Mr. J.L.B. Matekoni arrêta sa voiture juste derrière la grille. Il aimait se garer là, ce qui permettait à Mma Ramotswe de sortir si elle avait besoin d'aller faire une course au volant de la petite fourgonnette blanche. Puis, après avoir troqué les chaussures qu'il portait au garage, toujours couvertes de graisse, contre les *veldskoens*[1] de daim usées et poussiéreuses qu'il ne quittait pas à l'extérieur, Mr. J.L.B. Matekoni se dirigea vers l'arrière de la maison. Il avait déjà planté plusieurs rangs de haricots, à l'abri d'un voile dispensateur d'ombre. Dans ce pays aride qu'était le Botswana, ces voiles faisaient toute la différence, préservant les feuilles vertes, si vulnérables, des rayons asséchants du soleil, et aidant la terre à retenir un peu de la précieuse humidité prodiguée par l'arrosage. Le sol avait toujours soif. L'eau qu'on y versait était absorbée avec une avidité dévorante qui laissait peu de traces. Pourtant, les gens persévéraient, décidés à créer de petits carrés de verdure au milieu du brun.

Le jardin de Zebra Drive était beaucoup plus vaste que ceux des maisons voisines. Mma Ramotswe avait toujours souhaité le défricher dans sa totalité, mais elle n'avait pas encore pu s'attaquer à l'enchevêtrement de broussailles — robiniers rabougris, herbes hautes et arbustes en tous genres — qui l'envahissaient à l'arrière de la maison. Au-delà de son lopin de terre s'étendait un terrain vague, en friche lui aussi, avec un sentier sinueux qui le traversait en son

1. Ou *vellies*, chaussures de brousse en cuir souple. (*N.d.T.*)

milieu. Les gens aimaient couper par là pour gagner le centre-ville et, au matin, on entendait des hommes à bicyclette siffler ou chanter en empruntant ce raccourci. Beaucoup de bébés étaient en outre conçus à cet endroit, surtout le samedi soir, et Mma Ramotswe pensait souvent que certains des enfants qu'elle y voyait jouer étaient attirés là par quelque étrange instinct qui les ramenait sur les lieux où avait débuté leur existence.

Mr. J.L.B. Matekoni remplit un vieux bidon au robinet situé sur le côté de la maison. De la cuisine, Mma Ramotswe entendit l'eau couler et jeta un coup d'œil par la fenêtre. Elle adressa un signe de main à son fiancé, qui le lui rendit, accompagné de quelques mots, avant d'emporter son bidon vers le carré de légumes. Mma Ramotswe sourit et pensa : Me voilà enfin en compagnie d'un homme bon, prêt à travailler dans mon jardin et à planter des haricots pour moi. C'était une pensée bienfaisante qui lui réchauffait le cœur, tandis qu'elle voyait la silhouette masculine s'éloigner, puis disparaître derrière le bouquet d'acacias qui masquait une partie du jardin.

Mr. J.L.B. Matekoni se courba sous le voile dispensateur d'ombre et commença à verser l'eau doucement, au pied de chaque plant de haricots. Au Botswana, la moindre goutte d'eau était précieuse et il eût fallu être fou pour utiliser un tuyau d'arrosage. Il était d'ailleurs bien plus efficace, quand on en avait les moyens, d'installer un système de goutte-à-goutte : l'eau cheminait depuis un réservoir central le long d'un mince fil de coton qui dispensait ses gouttelettes à la racine des plantes. C'était la meilleure façon d'arroser : de minuscules gouttes d'eau versées directement sur les racines, une à une. Peut-être que je ferai cela un jour, songea Mr. J.L.B. Matekoni. Je le ferai quand je serai devenu trop vieux pour réparer les voitures et que j'aurai vendu le Tlokweng Road Speedy Motors. Alors, je serai agriculteur, comme les miens l'ont été avant moi. Je retournerai sur mes terres, là-bas, en bordure du Kalahari, et je m'assiérai sous un arbre pour regarder mes melons pousser au soleil.

Il se pencha pour examiner une tige de haricots qui s'était emmêlée autour du tuteur. Tandis qu'il replaçait délicatement la plante, un claquement se fit entendre derrière lui. C'était un son mat, comme une pierre heurtant quelque chose, puis il y eut un bruit sec et il se retourna. Ce pouvait être un serpent, il fallait toujours se méfier, s'attendre à en voir un surgir de n'importe où pour se dresser brutalement et attaquer. Un cobra ferait une bien mauvaise rencontre — Mr. J.L.B. Matekoni en avait déjà vu plusieurs, d'un peu trop près à son goût —, mais comment réagir s'il s'agissait d'un mamba mécontent d'avoir été dérangé ? Les mambas étaient des reptiles agressifs qui détestaient être importunés et pouvaient attaquer l'homme avec une violence terrible. Peu de gens survivaient à une morsure de mamba, dont le venin se propageait très vite dans le corps, paralysant les poumons et le cœur.

Ce n'était pas un serpent, mais un oiseau, qui était tombé d'un arbre, avait virevolté en glissant le long de la toile, puis atterri sur le sable, où ses battements d'ailes désespérés soulevaient un petit nuage de poussière. Après une série de mouvements désordonnés, il finit par s'immobiliser. C'était un moqueur d'Afrique au beau plumage irisé, couronné d'une minuscule crête de plumes noir et blanc qui se dressaient sur sa tête, telle la parure d'un chef miniature.

Mr. J.L.B. Matekoni s'approcha pour prendre l'oiseau, qui regarda la main d'un œil plein d'épouvante, incapable de bouger. Sa gorge se souleva à plusieurs reprises sous le plumage, presque imperceptiblement, puis s'immobilisa. Mr. J.L.B. Matekoni ramassa le petit cadavre. Il était encore chaud, mais flasque désormais, et Mr. J.L.B. Matekoni le retourna. De l'autre côté, l'œil, minuscule tache noire semblable à un pépin de papaye, était sorti de son orbite et une traînée rouge maculait le plumage là où le moqueur d'Afrique avait reçu une pierre.

— Oh… fit Mr. J.L.B. Matekoni. Oh…

Il reposa l'oiseau et scruta les buissons autour de lui.

— Petits vauriens ! cria-t-il. J'ai tout vu. Je vous ai vus tuer cet oiseau !

Des enfants, songea-t-il. Ce devaient être des garçons armés de lance-pierres qui se cachaient dans les buissons pour tuer des oiseaux, non dans le but de les manger, bien sûr, mais juste pour le plaisir de tuer. Viser des colombes ou des pigeons était une chose : ces volatiles-là étaient comestibles. Jamais, en revanche, on ne songerait à manger un moqueur d'Afrique. Et qui pouvait ressentir le désir de tuer un petit oiseau si sympathique ? On ne tuait pas un moqueur d'Afrique, voilà tout.

Bien sûr, on n'attraperait jamais les coupables. Ceux-ci devaient déjà être loin, ou dissimulés dans les broussailles, d'où ils se moquaient sans doute de lui. Il n'y avait rien d'autre à faire que jeter au loin la minuscule carcasse. Des rats la trouveraient, ou un serpent, peut-être, et en feraient leur repas. Pour eux, cette petite mort représenterait une aubaine.

Quand Mr. J.L.B. Matekoni entra dans la maison, découragé par la mort du moqueur d'Afrique, par l'état de ses haricots et par beaucoup d'autres choses aussi, Mma Ramotswe l'attendait à la porte de la cuisine.

— Tu n'as pas vu Puso ? demanda-t-elle. Il était en train de jouer dans la cour. Maintenant, c'est l'heure de dîner et il n'est pas rentré. Tu as dû m'entendre l'appeler.

— Non, je ne l'ai pas vu, répondit Mr. J.L.B. Matekoni. J'étais à l'arrière…

Il s'interrompit.

— Et alors ? pressa Mma Ramotswe. Il n'y est pas ?

Mr. J.L.B. Matekoni hésita un instant.

— Je crois que si, en fait, déclara-t-il gravement. Je crois qu'il s'amuse avec un lance-pierre.

Ils gagnèrent tous deux le carré de légumes et observèrent le bush, de l'autre côté de la clôture.

— Puso ! lança Mma Ramotswe. On sait que tu te caches. Viens ici ou c'est moi qui vais venir te chercher.

Ils attendirent en vain. Mma Ramotswe appela de nouveau.

— Puso ! Tu es là ! Nous savons que tu es là !

Mr. J.L.B. Matekoni crut percevoir un mouvement dans les hautes herbes. C'était l'endroit rêvé pour se cacher quand on était un petit garçon, mais il serait facile d'y aller et de le débusquer s'il le fallait.

— Puso ! cria encore Mma Ramotswe. Tu es là ! Sors tout de suite !

— Je ne suis pas là, fit la voix claire du garçon. Je ne suis pas là.

— Tu es un petit coquin ! s'exclama Mma Ramotswe. Comment peux-tu dire que tu n'es pas là ? Qui est-ce qui parle, si ce n'est pas toi ?

Il y eut un nouveau silence, puis les branches d'un buisson s'écartèrent et le garçon en sortit en rampant.

— Il a tué un moqueur d'Afrique avec son lance-pierre, chuchota Mr. J.L.B. Matekoni. Je l'ai vu.

Mma Ramotswe retint sa respiration tandis que l'enfant approchait, tête basse, les yeux rivés au sol.

— File dans ta chambre, Puso, ordonna-t-elle. Et restes-y jusqu'à ce qu'on t'appelle.

Le garçon releva la tête. Ses joues étaient striées de larmes.

— Je vous déteste, déclara-t-il.

Puis il se tourna vers Mr. J.L.B. Matekoni :

— Et vous aussi, je vous déteste.

Ces paroles restèrent suspendues dans l'air du soir. Déjà, le garçon s'enfuyait vers la maison, sous les yeux des deux adultes médusés. Il ne se retourna pas.

CHAPITRE IV

Confiez vos affaires à un homme

Décidément, tout allait de travers pour Mma Ramotswe. D'abord, elle avait passé une soirée déprimante avec les enfants — Motholeli était revenue bouleversée de l'école et son frère adoptait un comportement étrange, tuant un moqueur d'Afrique au lance-pierre et demeurant muet le reste de la soirée. Pour la fillette, tout n'était pas réglé, bien sûr, mais au moins les paroles de Mma Ramotswe avaient fini par la réconforter. Avec le garçon, les choses étaient différentes. Il s'était renfermé, refusant de dîner, et il semblait que rien ne pût le ramener à la raison. Ils n'avaient pas cherché à le punir pour l'oiseau et, contre toute attente, il ne leur en avait même pas été reconnaissant. Les haïssait-il vraiment ? Comment était-ce possible, avec tout l'amour et les soins qu'ils lui prodiguaient ? Était-ce un comportement classique chez les orphelins ? Mma Ramotswe savait que les enfants blessés dans leurs premières années pouvaient se révéler très difficiles. Et ce garçon, il ne fallait pas l'oublier, avait été enterré vivant quelques mois après sa naissance.

Un tel événement laissait certainement des marques. Le contraire eût même été surprenant. Mais pourquoi s'en prenait-il soudain à eux, lui qui avait eu l'air heureux jusque-là ? C'était incompréhensible. Il faudrait demander conseil à Mma Potokwane, à la ferme des orphelins. Mma Potokwane n'ignorait rien des enfants et de leur comportement.

Ce n'était pas tout, cependant. Un nouveau développement était intervenu et, si l'on n'y remédiait pas, l'Agence N° 1 des Dames Détectives serait menacée ; or, il semblait qu'il n'y eût rien à faire.

Ce fut Mma Makutsi qui lâcha l'information le matin qui suivit les désagréables événements de Zebra Drive.

— J'ai une très mauvaise nouvelle à vous annoncer, déclara-t-elle dès que Mma Ramotswe entra à l'agence. Voilà une heure que je suis ici et que je me retiens de pleurer.

Mma Ramotswe regarda son assistante. Elle n'était pas certaine de pouvoir supporter un nouveau traumatisme après la soirée de la veille. Ses responsabilités vis-à-vis des enfants lui mettaient les nerfs à vif et elle était venue travailler avec l'espoir de passer une journée paisible. Peu importait qu'il n'y eût pas de clients. À vrai dire, mieux valait qu'il n'y en eût pas. Il était déjà assez difficile pour elle de s'atteler à ses propres problèmes, elle se voyait mal résoudre ceux des autres.

— Êtes-vous vraiment obligée de m'en parler ? soupira-t-elle. Je ne suis pas d'humeur à affronter des problèmes.

Mma Makutsi pinça les lèvres.

— C'est très important, Mma, rétorqua-t-elle avec sévérité, comme si elle faisait la leçon à un individu irresponsable. Je ne peux pas faire comme si je n'avais pas vu ce que j'ai vu.

Mma Ramotswe prit place à son bureau et se tourna vers Mma Makutsi.

— Dans ce cas, dites-moi tout. Que se passe-t-il ?

Mma Makutsi retira ses lunettes et les nettoya avec le bas de sa jupe.

— Eh bien, commença-t-elle, hier après-midi, comme vous vous en souvenez peut-être, je suis partie un peu plus tôt. À quatre heures.

Mma Ramotswe acquiesça.

— Vous m'avez dit que vous aviez des courses à faire.

— Oui, confirma Mma Makutsi. Et j'ai bien fait ces courses. Je suis allée à Broadhurst. Il y a là une boutique qui vend des collants en promotion. Je voulais en profiter.

Mma Ramotswe sourit.

— Il vaut toujours mieux acheter quand il y a des promotions. Je fais ça, moi aussi.

Mma Makutsi approuva d'un hochement de tête et s'empressa de poursuivre :

— Il y a un magasin là-bas — enfin, il y avait un magasin qui vendait des tasses et des soucoupes. Peut-être que vous vous en souvenez. Le propriétaire est parti et la boutique a fermé. Vous voyez de quoi je veux parler ?

Mma Ramotswe voyait. Elle avait acheté là un cadeau pour une amie, une grande tasse ornée d'un cheval, et l'anse s'était détachée presque aussitôt.

— Ce local est resté inoccupé quelque temps, reprit Mma Makutsi. Mais quand j'y suis passée hier après-midi, un peu avant quatre heures et demie, j'ai vu une nouvelle personne qui accrochait une pancarte sur la devanture. Et par la vitrine, j'ai aperçu du mobilier neuf. Du mobilier flambant neuf.

Elle jeta un coup d'œil circulaire à l'agence, s'attardant sur le vieux meuble de classement dont un tiroir s'ouvrait mal, sur les bureaux à la surface irrégulière, sur les chaises bancales. Mma Ramotswe intercepta son regard et anticipa ce qui allait suivre. Dans quelques instants, elle s'entendrait réclamer de nouveaux meubles. Mma Makutsi avait dû discuter avec quelqu'un, à Broadhurst, et se laisser convaincre qu'il y avait des affaires à saisir. Toutefois, il ne fallait pas y songer. L'agence perdait de l'argent et c'était seulement grâce à l'arrangement contracté avec le Tlokweng Road Speedy Motors, qui réglait désormais une partie du salaire de Mma Makutsi, qu'elle restait en activité. Sans Mr. J.L.B. Matekoni, elles auraient mis la clé sous la porte depuis plusieurs mois déjà.

Mma Ramotswe leva la main.

— Je suis désolée, Mma Makutsi, mais nous ne pouvons rien acheter en ce moment. Nous n'avons pas l'argent.

Mma Makutsi la dévisagea.

— Ce n'est pas du tout ce que j'allais dire, riposta-t-elle. J'allais dire quelque chose de totalement différent.

Elle se tut, afin que Mma Ramotswe ait le temps d'éprouver la culpabilité consécutive à un tel procès d'intention.

— Je suis désolée, déclara Mma Ramotswe. Dites-moi ce que vous avez vu.

— Une nouvelle agence de détectives. Gigantesque. Elle s'appelle l'Agence de Détectives Satisfaction Garantie.

Elle croisa les bras et observa l'effet de ses paroles sur son employeur. Mma Ramotswe plissa les yeux. La nouvelle était effectivement dramatique. Elle s'était tant habituée à être la seule détective de la ville, et même du pays tout entier, que l'idée d'une possible concurrence ne lui était jamais venue à l'esprit. C'était la nouvelle qu'elle souhaitait le moins entendre et, l'espace d'un instant, elle fut tentée de lever les bras au ciel et d'annoncer qu'elle arrêtait tout. Mais ce ne fut qu'une pensée fugace, rien de plus. Mma Ramotswe n'était pas femme à renoncer facilement, et même s'il était décourageant d'avoir des problèmes avec les orphelins et d'être à court de travail à l'agence, il n'y avait aucune raison d'abandonner. Elle se redressa donc et sourit à Mma Makutsi.

— Quel que soit le secteur dans lequel on travaille, il faut s'attendre à rencontrer de la concurrence, déclara-t-elle. Nous sommes comme les autres. Nous ne pouvions pas espérer occuper toute la place indéfiniment, n'est-ce pas ?

Mma Makutsi esquissa une moue sceptique.

— Non, répondit-elle. On nous a d'ailleurs appris ça à l'Institut de secrétariat du Botswana. Ça s'appelle le principe de concurrence.

— Ah bon ? Et que dit ce principe ?

Mma Makutsi parut prise de panique. Certes, elle avait obtenu quatre-vingt-dix-sept sur cent à l'examen final de l'Institut de secrétariat du Botswana — ce n'était un secret pour personne —, mais on ne l'avait jamais interrogée sur le principe de concurrence.

— Ça veut dire que la concurrence existe, articula-t-elle. Il ne peut pas n'y avoir qu'une seule entreprise dans un secteur. Il y aura toujours plus qu'une seule entreprise.

— C'est vrai, confirma Mma Ramotswe.

— Ce qui signifie que si une entreprise marche bien, reprit Mma Makutsi, s'échauffant tout à coup, il y en aura d'autres qui chercheront à bien marcher elles aussi. En fait, c'est très sain.

Mma Ramotswe ne parut pas convaincue.

— Assez sain pour nous priver de notre activité...

Mma Makutsi hocha la tête.

— Mais on nous a aussi expliqué qu'il faut toujours savoir en quoi consiste la concurrence. Je me souviens qu'on nous a dit ça.

Mma Ramotswe acquiesça et, encouragée, Mma Makutsi poursuivit :

— Nous devons donc mener l'enquête pour nous-mêmes. Nous devons rencontrer ces personnes et découvrir quelles sont leurs intentions. Ainsi, nous saurons en quoi consiste la concurrence.

Mma Ramotswe saisit la clé de la petite fourgonnette blanche.

— Vous avez raison, Mma Makutsi, approuva-t-elle. Il faut aller se présenter à ces nouveaux détectives. Ainsi, nous verrons si ce sont des gens intelligents.

— Oui, confirma Mma Makutsi. Et il y a autre chose. Ces nouveaux détectives ne sont pas des femmes, comme nous-mêmes. Ce sont des hommes.

— Ah, fit Mma Ramotswe. Dans un sens, c'est une bonne chose. Mais c'est aussi une mauvaise chose.

L'Agence de Détectives Satisfaction Garantie n'était pas difficile à trouver. Une grande enseigne, similaire à celle qui trônait devant les locaux d'origine de l'Agence N° 1 des Dames Détectives, annonçait le nom de la société et affichait la photographie d'un homme souriant assis à un bureau, les mains croisées, l'air vivement satisfait. Au-dessous, de grandes lettres rouges indiquaient : « Personnel expérimenté. Ex-PJ, Ex-New York. Ex-cellent ! »

Mma Ramotswe gara la petite fourgonnette blanche en face de l'agence, sous un acacia idéalement situé.

— Bon ! dit-elle à voix basse, bien que nul ne pût les entendre. Voilà donc la concurrence.

Assise sur le siège passager, Mma Makutsi se pencha en avant pour pouvoir regarder au-delà de Mma Ramotswe. Son employeur était une femme corpulente — de constitution traditionnelle, comme elle aimait à se décrire — et il n'était pas aisé de jouir d'une vue satisfaisante de l'odieuse enseigne.

— Ex-PJ, dit Mma Ramotswe. Un policier à la retraite, si je comprends bien. Ce n'est pas bon pour nous, ça. Les gens vont adorer l'idée de confier leurs problèmes à un ancien policier.

— Et ex-New York, renchérit Mma Makutsi d'un ton admiratif. Cela va impressionner les gens. Ils ont vu des films sur les détectives de New York. Ils savent qu'ils sont très puissants.

Mma Ramotswe jeta un coup d'œil à Mma Makutsi.

— C'est à Superman que vous pensez ?

— Oui, confirma Mma Makutsi. Exactement. À Superman.

Mma Ramotswe ouvrit la bouche pour répondre, mais se ravisa. Elle connaissait les brillants résultats de son assistante à l'Institut de secrétariat du Botswana — il était impossible d'échapper au diplôme encadré au-dessus du bureau de Mma Makutsi, à l'agence — mais, parfois, elle la trouvait extraordinairement naïve. Superman ! Comment pouvait-on, une fois passé l'âge de six, voire sept ans *maximum*, s'intéresser à de telles imbécillités ? Elle avait peine à le comprendre. Et pourtant, les gens aimaient ça. Quand des films de ce genre passaient au cinéma de la ville, celui qui appartenait à cet homme très riche, propriétaire d'une maison près de Nyerere Drive, il y avait toujours une foule prête à payer pour obtenir une place. Bien sûr, il s'agissait souvent de couples fraîchement formés qui ne s'intéressaient pas nécessairement à ce qui se passait sur l'écran, mais beaucoup d'autres semblaient venir pour le film lui-même.

Il était inutile de discuter de Superman avec Mma Makutsi. Quel que fût l'individu qui avait ouvert cette agence, et même s'il venait bel et bien de New York, ce n'était certainement pas Superman.

— Allons nous présenter, décida Mma Ramotswe. Je vois quelqu'un à l'intérieur. Ils sont déjà au travail.

— Sur une grosse affaire, compléta Mma Makutsi d'une voix découragée.

— Peut-être, reconnut Mma Ramotswe. Mais peut-être pas. Les gens qui passent devant l'Agence N° 1 des Dames Détectives et nous voient à l'intérieur peuvent penser que nous travaillons nous aussi sur de grosses affaires. Mais la plupart du temps, vous le savez très bien, nous ne faisons qu'attendre en buvant du thé rouge et en lisant le *Botswana Daily News*. Alors vous voyez, les apparences peuvent être trompeuses.

Mma Makutsi trouva la remarque un peu trop sévère. Il était vrai que les deux femmes détectives n'étaient pas particulièrement débordées en ce moment et que l'on consommait de grandes quantités de thé rouge au bureau, mais ce n'était pas toujours le cas. Il y avait des fois où elles étaient vraiment occupées et où les passants auraient eu raison de penser que l'agence était une véritable ruche. Mma Ramotswe avait donc tort. Néanmoins, il était inutile de discuter de cela, dans la mesure où elle semblait d'humeur plutôt défaitiste. Quelque chose devait se passer chez elle, songea Mma Makutsi. Cela ne lui ressemblait pas de ne pas être optimiste.

Elles traversèrent la rue et s'approchèrent de la boutique qui abritait désormais l'Agence de Détectives Satisfaction Garantie. La devanture consistait essentiellement en une vitrine, masquée par un écran qui empêchait les passants de voir autre chose que la tête des personnes qui travaillaient à l'intérieur. Dans la vitrine apparaissait une photographie encadrée d'un groupe d'hommes debout devant un bâtiment administratif assez impressionnant. Tous portaient des chapeaux à large bord qui ombrageaient leur visage et interdisaient de distinguer leurs traits.

— La photo n'est pas bonne, bougonna Mma Ramotswe. Elle n'a aucun intérêt.

Sur la porte elle-même, qui était à demi vitrée, était suspendue une pancarte rédigée à la main : *Entrez s'il vous plaît. Inutile de frapper*. Toutefois, Mma Ramotswe croyait aux principes traditionnels — qui commandaient, entre autres, de frapper et de crier *Ko ko !* avant d'entrer chez quelqu'un. Elle annonça son arrivée par trois coups énergiques, avant de pousser la porte.

— Inutile de frapper, Mma, lança l'homme assis derrière un bureau. Entrez simplement.

— Je frappe toujours, Rra, rétorqua Mma Ramotswe. C'est un principe.

L'homme sourit.

— Dans mon métier, ce n'est pas toujours une bonne idée de frapper. Cela avertit les gens et ils interrompent ce qu'ils étaient en train de faire.

Mma Ramotswe rit de la boutade.

— Et ce n'est pas du tout ce que l'on souhaite !

— Non, pas du tout, dit l'homme. Mais comme vous le voyez, je ne faisais rien de mal. Quel dommage ! J'étais juste assis là, à attendre que deux jolies femmes franchissent ma porte pour venir me voir.

Mma Ramotswe jeta un très bref coup d'œil à Mma Makutsi avant de répondre.

— Vous êtes très aimable, Rra, déclara-t-elle. Ce n'est pas tous les jours qu'on me dit que je suis jolie. Cela fait plaisir quand cela arrive.

L'homme assis au bureau esquissa un geste négligent.

— Quand on est détective, Mma, on a l'habitude d'observer. Je vous ai vues arriver et la première chose que je me suis dite, c'est : Deux très très belles femmes vont passer ta porte. C'est ton jour de chance…

Il s'interrompit brutalement et se leva d'un bond, pour se rasseoir aussitôt en se frappant le front de sa paume.

— Mais qu'est-ce que je raconte, Mma ? s'exclama-t-il. Vous êtes Mma Ramotswe, n'est-ce pas ? De l'Agence N° 1 des Dames Détectives ? J'ai vu votre photo dans le journal. Et me voilà, à vous expliquer ce qu'est le métier de détective ! Et depuis le début, c'était vous et Mma… Mma…

— Makutsi, compléta Mma Makutsi. Je suis assistante-détective à l'Agence N° 1 des Dames Détectives. J'ai étudié à l'Institut de secrétariat du Botswana…

L'homme l'interrompit, hochant la tête :

— Ah, ce truc… Oui, oui…

Mma Ramotswe remarqua l'effet de ces mots sur son assistante. C'était comme si l'on venait de lui infliger une décharge électrique.

— C'est une excellente école, se hâta de souligner Mma Ramotswe, avant de changer de sujet. Mais vous, comment vous appelez-vous, Rra ?

— Je suis Mr. Buthelezi, répondit l'homme en tendant la main. Cephas Buthelezi. Ancien de la PJ.

Mma Ramotswe lui serra la main, de même que Mma Makutsi, qui le fit pour sa part à contrecœur. Puis, invitées à s'asseoir, elles s'installèrent avec gêne dans les fauteuils neufs, face au bureau.

— Buthelezi est un nom célèbre, fit remarquer Mma Ramotswe. Êtes-vous de la même famille que lui ?

Mr. Buthelezi se mit à rire.

— On pourrait demander aussi : est-il de la même famille que moi ? Ha, ha !

Mma Ramotswe laissa planer un silence.

— Alors, est-il de votre famille ? le pressa-t-elle.

Mr. Buthelezi saisit un paquet de cigarettes sur son bureau et en prit une.

— Il y a beaucoup de gens qui s'appellent Buthelezi, répondit-il. Et beaucoup d'autres qui ne s'appellent pas comme ça. Il y a aussi des gens qui s'appellent Nkomo ou Ramaphosa, ou autre chose. Cela n'en fait pas de vrais Nkomo ou de vrais Ramaphosa, n'est-ce pas ? Il existe quantité de noms, n'est-ce pas ?

Mma Ramotswe acquiesça.

— C'est vrai, Rra. Il existe beaucoup de noms.

Mr. Buthelezi alluma sa cigarette. Il n'en avait pas offert à ses visiteuses — qui ne fumaient pas, de toute façon —, mais ce manque de considération fut remarqué, au moins par Mma Makutsi qui, après la référence désobligeante à l'égard de l'Institut de secrétariat du Botswana, cherchait toutes les raisons de condamner leur nouveau concurrent.

Mma Ramotswe, qui avait attendu une réponse à sa question, s'aperçut que celle-ci ne viendrait plus.

— Bien sûr, dit-elle, c'est un nom zoulou, n'est-ce pas ? Vous venez de cette partie du monde, Rra ?

Mr. Buthelezi ôta un fragment de tabac de son incisive.

— Mon pauvre père était un Zoulou du Natal, expliqua-t-il. Et ma pauvre mère était d'ici, c'était une Motswana. Elle a rencontré mon père alors qu'elle travaillait de l'autre côté de la frontière, en Afrique du Sud. Elle m'a envoyé à l'école au Botswana, mais quand j'ai terminé ma scolarité, je suis retourné vivre avec eux, en Afrique du Sud. C'est à ce moment-là que je me suis engagé dans la police judiciaire de

Johannesburg. À présent, je suis de retour dans la patrie de ma mère.

— Et j'ai vu sur votre pancarte que vous aviez aussi travaillé à New York, reprit Mma Ramotswe. Vous avez eu une vie bien remplie, Rra !

Mr. Buthelezi détourna les yeux, comme s'il voyait défiler en pensée cette existence riche et variée.

— Eh oui, New York ! J'ai été à New York.

— Est-ce que la vie là-bas vous plaisait, Rra ? s'enquit Mma Makutsi. J'ai toujours rêvé de voir New York.

— New York est une très grande ville, affirma Mr. Buthelezi. Mon Dieu ! Oh ! Il y a beaucoup de gratte-ciel, là-bas.

— Combien de temps y avez-vous vécu, Rra ? demanda Mma Makutsi. Y êtes-vous resté de nombreuses années ?

— Pas très nombreuses, non, répondit Mr. Buthelezi.

— Combien de temps exactement ? insista Mma Makutsi.

— New York a l'air de beaucoup vous intéresser, Mma, déclara Mr. Buthelezi. Vous devriez y aller. Ne pas vous contenter de mon point de vue. Découvrir cet endroit de vos propres yeux. Hou là là !

Le silence s'installa un moment, tandis que la question de Mma Makutsi restait en suspens : combien de temps exactement ? Mr. Buthelezi tira sur sa cigarette et envoya la fumée vers le plafond. Le silence ne semblait pas trop le gêner, mais au bout de quelques instants il se pencha pour prendre un petit prospectus, qu'il tendit à Mma Ramotswe.

— Voici ma brochure, Mma. Cela me ferait plaisir que vous y jetiez un coup d'œil. Cela ne m'embête pas du tout qu'il y ait plus d'une agence de détectives dans cette ville. L'agglomération s'étend si vite, n'est-ce pas ? Il y a du travail pour nous deux.

Et moi ? songea Mma Makutsi. Et moi ? Ne sommes-nous pas trois au total, ou est-ce que je compte pour du beurre ?

Mma Ramotswe saisit la brochure bon marché. Il y avait en première page une photographie de Mr. Buthelezi, assis à un autre bureau, l'air très officiel. Elle tourna la page. Là encore apparaissait Mr. Buthelezi, cette fois debout près d'une voiture noire, avec de hauts immeubles assez flous en arrière-plan. Le lieu où il se tenait, bizarrement indistinct, ressemblait à une sorte de terrain vague et il n'y avait personne d'autre sur l'image, sous laquelle était inscrit : *New York*.

Elle regarda le texte qui faisait face à la photographie. *Quelque chose vous trouble ?* lut-elle. *Votre mari rentre tard le soir et il sent le parfum de femme ? L'un de vos employés vole des secrets commerciaux ? Ne laissez rien au hasard ! Confiez vos investigations à un HOMME !*

L'effet de ces lignes sur Mma Ramotswe se révéla similaire à celui qu'avait eu, un peu plus tôt sur Mma Makutsi, le commentaire relatif à l'Institut de secrétariat du Botswana. En silence, elle passa la brochure à son assistante, qui ajusta ses lunettes.

— J'ai eu plaisir à vous rencontrer, Rra, articula avec peine Mma Ramotswe.

Le manque de sincérité n'avait jamais été son fort, mais les bonnes manières obligeaient parfois à y avoir recours, serait-ce au prix d'un effort surhumain.

— Nous serons certainement amenés à nous revoir pour évoquer nos enquêtes respectives.

Mr. Buthelezi afficha un sourire ravi à ces mots.

— Ce serait très bien, Mma, dit-il. Vous et moi discutant de problèmes professionnels…

— Avec Mma Makutsi, précisa Mma Ramotswe.

— Bien sûr, acquiesça Mr. Buthelezi avec un coup d'œil rapide — et négligent — à l'autre visiteuse.

Mma Makutsi rendit la brochure à Mr. Buthelezi, qui insista pour qu'elles la gardent. Puis les deux femmes se levèrent, prirent congé poliment, mais non sans une certaine froideur, et quittèrent la boutique, refermant la porte derrière elles avec, peut-être, un peu trop de fermeté. Une fois dehors, elles traversèrent la route dans un silence complet et ce fut seulement lorsque la petite fourgonnette blanche eut tourné au coin de la rue et pris le chemin de l'agence que des paroles furent prononcées.

— Bon, dit Mma Ramotswe.

Mma Makutsi chercha quelque chose à répondre, mais ne trouva rien qui semblât convenir à la situation, rien qui pût résumer l'outrage qu'on lui avait fait en appelant l'Institut de secrétariat du Botswana *« ce truc »*. Elle dit donc « Bon » elle aussi et s'en tint là.

CHAPITRE V

La confession bienfaisante

Elles regagnèrent l'agence en silence. Mma Makutsi eût aimé dire quelque chose, mais un regard à Mma Ramotswe, assise au volant de la petite fourgonnette blanche, le visage fermé et la mine renfrognée, suffit à la convaincre que s'il devait y avoir une discussion au sujet de Mr. Buthelezi, celle-ci viendrait plus tard. Bien sûr, il était évident que Mma Ramotswe songeait à ce nouveau collègue — pour peu que l'on puisse le désigner ainsi. Comment cet homme osait-il s'adresser à Mma Ramotswe, doyenne de la profession d'agent d'investigation privée au Botswana, avec une telle condescendance, comme s'il possédait l'expérience et qu'elle était la nouvelle venue ? Et puis, il y avait cette brochure prétentieuse, que Mma Makutsi serrait encore dans ses mains, résistant à la tentation d'en faire une boule qu'elle jetterait par la vitre de la petite fourgonnette blanche. On pouvait comprendre, bien entendu, que certains choisissent de s'adresser à un homme s'ils le souhaitaient vraiment, mais cela ne signifiait en aucun cas qu'un homme était plus compétent. Confiez vos enquêtes à un homme ! Non mais ! L'Agence N° 1 des Dames Détectives, comme elles l'avaient bien fait comprendre dès le départ, n'était pas un service fourni aux femmes par des femmes, mais un service accessible à tous, hommes ou femmes, sans distinction. Et l'intitulé ne vantait en rien la supériorité des dames dans le domaine de l'investigation privée (même si cette supériorité paraissait évidente pour qui se donnait la peine d'y réfléchir). Non, ce titre indiquait juste qu'il s'agissait d'une agence de détectives tenue par des femmes.

Mma Ramotswe gara la petite fourgonnette blanche à l'arrière du garage, devant la deuxième entrée du bâtiment qu'elles partageaient avec le Tlokweng Road Speedy Motors. Mr. J.L.B. Matekoni se trouvait dans la fosse d'inspection, d'où il examinait le châssis d'un vieux minibus bleu tout en expliquant quelque chose aux apprentis. Il lui adressa un signe de main affectueux que Mma Ramotswe lui rendit, sans toutefois s'approcher pour lui parler, comme elle l'eût fait en temps normal. Escortée de Mma Makutsi, elle gagna directement l'agence et s'installa à son bureau dans un silence indigné.

Mma Makutsi avait des factures à traiter pour le garage et elle s'absorba dans son travail. Mma Ramotswe, qui siégeait au comité de la Ligue des femmes de la cathédrale anglicane pour l'amélioration des conditions de logement, avait un compte rendu de réunion à lire et un brouillon de lettre au ministre du Logement à rédiger. Sans attendre, elle s'immergea dans ces tâches, mais elle eut peine à se concentrer. Au bout d'une vingtaine de minutes passées à écrire ce qu'il ne fallait pas écrire au ministre et à chercher des mots qui ne lui venaient pas, elle se leva et sortit.

C'était une période de l'année très agréable, juste après les chaleurs et avant l'arrivée de l'hiver. Non que le pays eût un véritable hiver. Certaines nuits se faisaient très fraîches, bien sûr, avec ce froid sec qui vous pénétrait jusqu'à la moelle, mais les journées restaient ensoleillées et claires pour la plupart, avec un air que l'on pouvait presque boire tant il était pur et frais, un air au parfum de bois brûlé, un air qui vous emplissait de gratitude à la pensée que vous vous trouviez en ce lieu et nulle part ailleurs. Pour Mma Ramotswe, cette époque de l'année où l'herbe commençait à brunir, mais où subsistaient çà et là des taches de vert, était parfaite. Debout sous l'un des acacias, tournée vers le Tlokweng Road Speedy Motors, elle regarda un petit groupe d'ânes brouter l'herbe près de la route. Sa colère s'était apaisée et la vue de ces animaux patients et modestes l'aida à remettre les choses en perspective. Les difficultés des enfants n'étaient pas si graves ; les petits garçons se comportaient souvent de façon étrange (tout comme les hommes, d'ailleurs) ; quant à Motholeli, on l'embêtait à l'école, mais cela faisait partie des problèmes universels et inévitables de l'existence. Elle en parlerait à Mma Potokwane et celle-ci lui dirait quoi faire.

Mr. Buthelezi représentait un problème plus sérieux, mais là encore, était-il réellement une menace ? L'homme était pédant et content de lui, mais cela ne signifiait en rien qu'il lui volerait sa clientèle. Une personne qui se faisait du souci n'avait généralement aucune envie de subir les discours d'un fanfaron. Elle recherchait bon sens et attention. Ces photographies ridicules ne feraient que repousser les gens. Ceux-ci savaient faire la différence entre fantasmes et réalité, non ? Comme le soulignait Clovis Andersen dans *Les principes de l'investigation privée*, celui qui entrait dans la profession en espérant jouir d'un prestige ou parce qu'il avait lu des romans ou vu des films sur le métier commettait une erreur fondamentale. Bien sûr, il n'y avait pas la moindre chance que Mr. Buthelezi ait lu Clovis Andersen. J'aurais dû lui poser la question, songea Mma Ramotswe, cela l'aurait remis à sa place.

Elle se détourna de la route pour regarder au loin la plantation d'eucalyptus créée de nombreuses années auparavant, à l'époque où Gaborone s'appelait encore Chief Gaborone's Place, et qui faisait office de forêt. Pour un motif qu'elle s'expliquait mal, cet endroit lui avait toujours inspiré de la crainte et elle ne s'y aventurait jamais seule. C'était un lieu triste, estimait-elle, avec ces hautes termitières brun-rouge et ces sentiers qui ne menaient chez personne, mais se contentaient de déboucher sur des clairières semées de bois mort. En ce moment, des vaches passaient entre les arbres et elle entendait tinter leurs cloches. Elle se détourna avec un frisson. Ce n'était pas un site bienfaisant.

Les ânes s'étaient approchés de la route et ils hésitaient, immobiles, se demandant s'ils traverseraient. Un garçon leur cria quelque chose, puis leur lança une pierre pour les faire avancer en les appelant par leurs noms : Oreille cassée, Oreille cassée ! Maigrichon, Maigrichon ! Allez, allez, avancez !

Lequel était Oreille cassée ? se demanda Mma Ramotswe. Ils semblaient tous avoir de bonnes oreilles et aucun ne paraissait particulièrement maigre. Elle pensait à cela, aux noms que les gens donnaient à leurs animaux, lorsqu'une voiture déboucha du coin de la rue, fit deux fois le tour du Tlokweng Road Speedy Motors, puis vint se garer près de la petite fourgonnette blanche. Mma Ramotswe vit un homme d'une quarantaine d'années, grand et bien bâti, en descendre.

— *Dumela*[1], Mma ! lui lança l'inconnu en approchant. Peut-être pouvez-vous me renseigner ? Je cherche l'Agence N° 1 des Dames Détectives.

Mma Ramotswe s'aperçut qu'elle devait passer pour une rêveuse, perdue dans ses pensées à regarder les ânes : une femme qui n'avait peut-être pas toute sa tête.

— C'est moi, Rra. Je suis désolée, je pensais à autre chose.

Elle désigna les ânes.

— J'écoutais ce berger appeler ses bêtes par leur nom. J'étais dans la lune.

L'homme se mit à rire.

— Mais c'est votre droit ! Il n'y a rien de mal à regarder les ânes, comme le bétail d'ailleurs. Moi, j'adore regarder les vaches. Je peux les observer pendant des heures.

— Qui ne le fait pas ? répondit Mma Ramotswe. Mon père était expert en bétail. Il pouvait vous parler du propriétaire d'une vache rien qu'en regardant l'animal.

— Il y a des gens comme ça, approuva-t-il. C'est un grand talent qu'ils ont là. Peut-être possédez-vous ce don vous aussi. Vous pourriez être détective du bétail et demander aux vaches de vous dire des choses.

Mma Ramotswe éclata de rire. Elle avait pris cet homme en sympathie. Il était l'opposé de Mr. Buthelezi. On ne l'imaginait pas posant pour une photo avec un chapeau à large bord.

— Il faut que je me présente, enchaîna-t-il. Je m'appelle Molefelo et je viens de Lobatse. Je suis ingénieur en génie civil, mais je possède également un hôtel dans ma ville. Avant, je bâtissais des choses, mais désormais, je me contente de rester dans un

1. Bonjour. *(N.d.T.)*

bureau et de suivre les constructions à distance. C'est beaucoup moins drôle, malheureusement.

Mma Ramotswe l'écouta poliment. Ce nom lui disait quelque chose. Elle connaissait Lobatse et peut-être était-ce dans l'hôtel de cet homme qu'elle avait séjourné avec Mr. J.L.B. Matekoni, la fois où ils étaient allés ensemble rendre visite à une cousine à elle. Elle avait mangé là-bas quelque chose qui l'avait rendue très malade. Toutefois, songea-t-elle, mieux valait sans doute ne pas évoquer cet épisode.

— Si nous allions dans l'agence ? suggéra-t-elle en désignant la porte. Nous serons plus à l'aise assis. Mon assistante nous préparera du thé et nous pourrons bavarder.

Mr. Molefelo suivit son regard ; à l'intérieur, ils virent Mma Makutsi qui les observait.

— Peut-être pourrions-nous plutôt rester dehors, répondit-il d'une voix hésitante. Il fait très bon et…

Il s'interrompit, pour reprendre d'un ton gêné :

— En fait, Mma, ce que j'ai à vous dire est très personnel. Très, très personnel. Je me demande s'il ne vaut pas mieux en parler à l'extérieur. Nous pourrons faire une promenade, si vous voulez. Je m'expliquerai en marchant.

Mma Ramotswe avait déjà rencontré ce type d'embarras chez certains clients et elle savait qu'il était souvent inutile de chercher à les rassurer. S'ils avaient quelque chose de vraiment intime à dévoiler, la présence d'une tierce personne pouvait les inhiber. Bien sûr, il n'y avait rien — ou presque rien — qu'elle n'eût pas entendu au cours de son existence. Rien ne l'étonnait, même si elle s'émerveillait parfois de l'habileté que mettaient certains individus à se compliquer la vie.

— Va pour une petite promenade ! lança-t-elle. Je vais juste prévenir mon assistante et je suis à vous.

Ils prirent un sentier qui partait en direction du lac de retenue. Il y avait des buissons d'épineux et l'odeur douce du bétail qui paissait. Tandis qu'ils marchaient, Mr. Molefelo parlait et Mma Ramotswe écoutait.

— Vous allez peut-être vous demander pourquoi je vous dis ça, Mma, mais je pense que vous devez savoir que je suis un homme qui a changé. Il y a deux mois, il m'est arrivé quelque chose qui m'a fait beaucoup réfléchir à ma vie et à la façon dont je l'ai conduite, et aussi à la meilleure manière de la conduire pour le temps qu'il me reste à vivre. Vous comprenez de quoi je parle ?

« Vous n'êtes pas face à un homme particulièrement mauvais ou méchant. Vous êtes face à un homme qui ressemble sans doute beaucoup aux autres. Une sorte d'individu moyen. Il en existe des milliers comme moi au Botswana. Des gens ordinaires. Ni très intelligents ni stupides. Des gens ordinaires, c'est tout.

— Je vous trouve modeste, l'interrompit Mma Ramotswe. Vous êtes tout de même ingénieur, non ? Cela réclame de l'intelligence.

— Pas vraiment. Il suffit de se débrouiller en mathématiques et en dessin, peut-être. Mais en dehors de ça, le bon sens suffit.

Il garda quelques instants le silence avant de reprendre :

— Mais ce n'est pas dans ce sens-là que je parlais d'hommes ordinaires. Je voulais dire que, dans sa vie, l'homme moyen fait de bonnes choses et de mauvaises choses. Il n'existe sans doute aucun homme qui puisse dire qu'il n'a jamais rien fait de mal. Sans doute aucun.

— C'est pareil pour les femmes. Elles ne sont pas meilleures que les hommes. Certaines sont même pires.

— Je ne me prononcerai pas sur ce point, répondit Mr. Molefelo. Je ne connais pas assez de femmes intimement pour me faire une idée de la question. Je ne sais pas comment se comportent les femmes. De toute façon, là n'est pas le problème. Moi, je parlais des hommes, et je crois savoir comment se comportent les hommes.

— Avez-vous fait quelque chose de répréhensible ? interrogea Mma Ramotswe. Est-ce ce que vous cherchez à me dire ?

Mr. Molefelo hocha la tête.

— Oui. Mais ne vous inquiétez pas, ce n'était pas si grave que cela. Je n'ai tué personne ni fait quoi que ce soit de ce genre. Je vais vous expliquer ce que j'ai fait de mal. Je ne l'ai jamais dit à personne, vous savez. Mais auparavant, j'aimerais vous raconter ce qui m'est arrivé il y a deux mois. Ensuite, vous comprendrez mieux pourquoi je veux vous parler.

« Comme je vous l'ai dit, je possède un hôtel à Lobatse. Il marche assez bien — c'est un très beau lieu pour les mariages — et j'ai employé l'argent que j'ai gagné pour acquérir des terres. J'en ai acheté près de la frontière avec la Namibie. C'est à quatre heures de route de Lobatse, si bien que je ne peux pas y aller toutes les semaines. Mais j'ai là-bas un homme qui les gère à ma place et plusieurs familles y habitent et travaillent la terre pour moi.

— Et cet homme, il s'occupe bien du bétail ? s'enquit Mma Ramotswe. C'est très important, vous savez.

— Oui, il s'y connaît en bétail. Mais il s'y connaît surtout en autruches. Je possède là-bas un grand troupeau d'autruches, dont quelques beaux spécimens. De gros oiseaux, très forts. C'est un bon endroit pour les autruches.

Mma Ramotswe ignorait tout des autruches. Elle en avait vu, bien sûr, et elle savait que beaucoup de gens les appréciaient. Dans son esprit toutefois, ces volailles ne représentaient qu'un faible substitut au bétail. Elle s'imagina un Botswana couvert d'autruches plutôt que de vaches. Quel drôle de pays ce serait… Un pays sans dignité, c'était clair.

— Mes autruches sont réputées pour donner de la bonne viande, poursuivit Mr. Molefelo. Mais j'ai également de bons reproducteurs. Il y a un mâle qui est très doux avec les femelles et qui a beaucoup d'enfants. C'est un beau spécimen d'autruche, que je garde dans un enclos spécial pour qu'il ne se batte pas. Je l'ai déjà vu donner des coups, vous comprenez. S'il s'en prend à un homme, il est capable de le couper en deux. Je n'exagère pas. De le couper en deux !

— Je serai prudente, murmura Mma Ramotswe.

— J'ai vu un homme se faire attaquer par une autruche un jour. C'était le frère d'un de ceux qui travaillent sur ma ferme et il n'était pas très fort. Petit, il avait été piétiné par une vache et il avait un problème au dos. Il avait grandi de travers, parce que sa colonne vertébrale s'était tordue, c'est pourquoi il avait du mal à marcher. En plus, il avait eu la tuberculose, ce qui avait encore aggravé son cas. Quand vous toussez beaucoup, ça doit vous affaiblir, j'imagine.

« Un jour, il est venu voir son frère et quelqu'un lui a servi de la bière alors qu'il n'avait pas l'habitude de boire. La bière lui a beaucoup plu et lui a donné l'impression d'être courageux, pour la première fois de sa vie. Il est donc allé à l'enclos et a escaladé la haute clôture qui empêche les autruches de sortir. Il y avait un mâle, pas très loin, qui le suivait des yeux pendant qu'il grimpait, et il a dû être très surpris de voir cet homme s'approcher de lui en courant et en agitant les bras. Il a cherché à fuir, mais une aile s'est accrochée à la clôture, ce qui l'a ralenti. L'homme a réussi à l'attraper et c'est à ce moment-là que l'autruche l'a attaqué.

« J'avais entendu des cris quand l'homme s'était mis à escalader la clôture et je suis sorti voir ce qui se passait. J'ai vu l'homme essayer d'attraper les plumes de la queue de l'autruche, puis bondir dans les airs et atterrir avec un bruit lourd. Il est resté par terre, immobile, avec l'autruche près de lui qui le regardait. Il ne s'est jamais relevé. Ce fut la fin de cet homme.

Mma Ramotswe fixait le sol en songeant au pauvre homme à la colonne vertébrale tordue.

— C'est une histoire très triste, dit-elle. Il se passe beaucoup de choses tristes dont personne n'entend parler. Dieu envoie sans cesse des malheurs à l'Afrique.

— Oui, acquiesça Mr. Molefelo. Vous avez raison, Mma. Le monde est bien cruel pour nous, parfois.

Ils firent quelques pas en méditant les paroles de Mma Ramotswe. Puis Mr. Molefelo reprit :

— Il faut maintenant que je vous raconte ce qui m'est arrivé il y a deux mois à peine. Ce n'est pas seulement une histoire : c'est ce qui va vous faire comprendre pourquoi je suis venu vous voir.

« Je suis allé à ma ferme avec ma femme et mes deux fils. Ce sont des garçons très costauds. L'un fait cette taille et l'autre cette taille.

La paume levée vers le ciel, il indiqua les hauteurs respectives de ses fils. Ce n'était jamais bien de montrer la taille d'une personne la paume dirigée vers le sol : cela risquait de pousser l'esprit vers le bas.

— Nous devions rester une semaine, mais la deuxième nuit, il s'est passé quelque chose qui nous a obligés à changer nos projets. Des hommes sont venus à la ferme. Ils arrivaient de l'autre côté de la frontière. Ils ont fait irruption de nuit, à cheval. C'étaient des voleurs d'autruches.

Mma Ramotswe s'arrêta et dévisagea Mr. Molefelo avec étonnement.

— Des voleurs d'autruches ? Ils voulaient voler vos autruches ?

Mr. Molefelo hocha la tête.

— Ce sont des hommes très dangereux. Ils arrivent en bandes avec leurs fusils et poussent les autruches en direction de la Namibie. Les Namibiens affirment qu'ils essayent de les capturer, mais ils n'ont jamais assez de policiers. Jamais. Ils prétendent qu'ils vont les rechercher, mais comment voulez-vous trouver des gens comme ça, qui vivent dans le bush, dans des campements de fortune ? Ce sont des fantômes. Ils viennent et repartent de nuit et, à mon avis, il est plus facile de repérer un fantôme que ces hommes. Ils n'ont pas de nom, pas de famille, rien. Ils vivent comme des léopards.

« Je dormais dans la maison lorsqu'ils sont arrivés. J'ai le sommeil léger et j'ai entendu du bruit en provenance des enclos. Je me suis levé pour aller voir s'il n'y avait pas un animal en train de s'attaquer aux autruches, un lion, peut-être, ou une hyène. J'ai pris une grosse torche et mon fusil et j'ai emprunté le chemin qui menait aux enclos. Je n'ai pas eu besoin d'allumer la torche, car la lune était pleine et elle faisait des ombres sur la terre.

« J'allais atteindre le premier enclos quand j'ai été frappé. Je suis tombé et j'ai lâché le fusil et la torche. Je me suis retrouvé face contre terre. Je me souviens d'avoir respiré la poussière et d'avoir toussé. À ce moment-là, j'ai reçu un coup de pied dans les côtes. Ça m'a fait très mal. Ensuite, quelqu'un m'a pris par les cheveux pour me tirer la tête en arrière. L'homme tenait un fusil, mais ce n'était pas le mien. Il m'a posé le canon sur la tempe et m'a dit quelque chose que je n'ai pas compris, parce qu'il ne parlait pas setswana. C'était sans doute du herero ou l'une de ces langues de là-bas. Peut-être même que c'était de l'afrikaans, parce qu'il est très parlé, et pas seulement par les Boers.

« J'ai cru que j'allais mourir et j'ai aussitôt pensé à mes fils. Je me suis demandé ce qui leur arriverait quand ils n'auraient plus de père. J'ai aussi pensé à mon propre père, je ne sais pas pourquoi, et je me suis souvenu des promenades que nous faisions ensemble dans la savane, exactement comme nous nous promenons maintenant tous les deux, Mma. Nous parlions de bétail. J'ai pensé que j'aimerais me promener avec mes fils, mais que j'avais été trop occupé jusqu'à présent. Maintenant, il était trop tard. C'étaient des idées étranges. Je ne pensais pas à moi, mais aux autres.

Mma Ramotswe se baissa pour ramasser une branche à la forme intéressante.

— Je comprends, dit-elle. Je suis sûre que je ferais la même chose.

Mais à vrai dire, qu'en savait-elle ? Elle ne s'était jamais trouvée dans une telle situation. Elle n'avait même jamais couru de danger réel et n'avait aucune idée de ce qui lui viendrait à l'esprit si cela arrivait. Elle aurait aimé pouvoir se dire qu'elle penserait à son père, Obed Ramotswe, le Papa, ce grand homme. Cependant, qui sait si l'esprit, confronté à une telle urgence, ne se mettrait pas à fonctionner de travers et à évoquer des choses très terre à terre, comme la facture d'électricité ? Il serait triste de quitter ce monde sur une telle note, en s'inquiétant de savoir si la Compagnie d'électricité du Botswana avait bien été payée. La Compagnie d'électricité du Botswana, pour sa part, ne penserait jamais à Mma Ramotswe, c'était certain.

— Cet homme était brutal. Il m'a tiré la tête en arrière et m'a forcé à m'asseoir, en pointant toujours son arme contre ma tempe, et il a appelé ses amis. Ceux-ci ont surgi de l'ombre, tous à cheval, et ils se sont placés autour de nous. Je sentais l'haleine de leurs montures sur mon visage. Ils ont discuté entre eux et j'ai compris qu'ils étaient en train de se demander s'ils me tueraient ou non. Je suis sûr que c'était de cela qu'ils parlaient, même si je ne comprenais rien à ce qu'ils disaient.

« Alors, j'ai aperçu une lumière et j'ai entendu quelqu'un, au loin, crier en setswana. C'était l'un de mes employés, qui avait dû comprendre ce qui se passait et qui appelait les autres à la rescousse. Du coup, celui qui me tenait m'a frappé à la tempe avec son fusil. Puis il s'est levé et a couru vers l'arbre où il avait attaché son cheval. Mes employés ont crié encore et j'ai entendu le bruit d'un moteur qu'on démarrait. L'un des hommes qui m'entouraient a hurlé quelque chose aux autres et ils se sont enfuis au galop. Je suis resté seul. Je sentais le sang couler le long de mon visage. J'ai encore la cicatrice, vous pouvez la voir, regardez, juste là, entre la joue et l'oreille. C'est elle qui m'empêchera d'oublier ce qui m'est arrivé.

— Vous avez eu beaucoup de chance d'en réchapper, déclara Mma Ramotswe. Ils auraient très bien pu vous tuer. Si vous n'étiez pas là à me parler, j'aurais imaginé une fin très différente à cette histoire.

Mr. Molefelo sourit.

— J'ai pensé la même chose. Mais je suis resté en vie. Et j'ai pu marcher jusqu'à la maison et retrouver ma femme et mes fils, qui se sont mis à pleurer en voyant leur père le visage couvert de sang. Je pleurais moi aussi, je crois, et je tremblais comme un chien qu'on a jeté à l'eau. Je suis resté dans cet état toute une journée, il me semble. J'avais honte de moi. Un homme ne doit pas se conduire comme ça. Mais j'étais comme un petit garçon terrorisé.

« Nous sommes rentrés à Lobatse pour que je puisse consulter l'un de ces médecins qui savent recoudre les visages. Il m'a fait des piqûres et des points de suture. Ensuite, je suis retourné à mon travail et j'ai tenté d'oublier. Seulement je ne pouvais pas, Mma. Je pensais sans cesse à ce que cela signifiait. Je sais que ça peut vous paraître étrange, mais cela m'a rappelé tout ce que j'avais fait au cours de mon existence. Cela m'a poussé à réfléchir à ma vie. Et cela m'a donné envie de régler certaines choses, afin que la prochaine fois — même si j'espère qu'il n'y aura pas de prochaine fois —, la prochaine fois que je me trouverai confronté ainsi à la mort, je puisse penser : j'ai mis de l'ordre dans ma vie.

— C'est une très bonne idée, commenta Mma Ramotswe. Nous devrions tous faire cela, il me semble. Mais nous ne nous en donnons pas la peine. Par exemple, moi, ma facture d'électricité…

— Ça, c'est une petite chose, interrompit Mr. Molefelo. Les factures, les dettes, ça n'est rien, vraiment rien. Ce qui compte, ce sont les choses qu'on a faites aux gens. C'est cela qui est important. Et c'est pour ça que je suis venu vous voir, Mma. Je voudrais me confesser. Je ne fréquente pas l'Église catholique, où on peut s'enfermer avec un prêtre dans une petite cabine pour lui confesser nos mauvaises actions. Moi, je ne peux pas le faire. Mais je veux parler à quelqu'un et c'est pour cela que je suis venu vous voir.

Mma Ramotswe hocha la tête. Elle comprenait. Peu après l'ouverture de l'Agence N° 1 des Dames Détectives, elle avait découvert que son rôle consisterait en grande partie à écouter et à aider les gens à se décharger de leur passé. D'ailleurs, en lisant Clovis Andersen, elle s'était sentie confortée dans cette certitude. *Soyez bienveillant*, écrivait l'auteur. *Beaucoup de ceux qui viendront vous voir sont des êtres blessés. Ils éprouvent le besoin de parler de choses qui leur ont fait du mal, ou de choses dont ils se sentent coupables. Ne les jugez surtout pas, mais écoutez-les. Écoutez-les bien.*

Ils avaient atteint un point où le sentier se perdait dans le lit asséché d'un cours d'eau. Une termitière s'élevait d'un côté, tandis que de l'autre la roche affleurait la terre rouge. Un bâton de canne à sucre mâchonné gisait au bord du sentier, près d'un fragment de verre bleu qui capturait le soleil. Non loin, une chèvre dressée sur ses pattes de derrière cherchait à atteindre les feuilles les moins accessibles d'un buisson. C'était le lieu idéal pour s'asseoir et écouter, sous un ciel qui avait vu et entendu tant de choses qu'une mauvaise action de plus ne ferait guère de différence. Les péchés, songea Mma Ramotswe, semblent plus sombres et plus importants quand on les regarde à l'intérieur. Dehors, au grand air, sous un ciel comme celui-ci, ils reprennent leurs proportions naturelles : ils nous apparaissent comme de petites choses misérables que l'on peut affronter ouvertement, décortiquer, puis classer.

CHAPITRE VI

Vieilles machines poussiéreuses

Mma Makutsi regarda Mma Ramotswe partir en promenade avec Mr. Molefelo et songea : Voici l'une des limites de n'être qu'assistante-détective. Je rate les choses importantes. Je n'entends les histoires des clients qu'à travers un intermédiaire. En fait, je ne suis qu'une secrétaire, pas une assistante-détective.

Elle se tourna vers la pile de factures du garage désormais prêtes pour l'expédition et pensa encore : Et au garage, je ne suis pas assistante de direction. Là aussi, je suis secrétaire, ce qui est complètement différent.

Elle se leva pour se préparer du thé rouge. Même si un client s'était présenté — et rien ne certifiait que la consultation en cours déboucherait sur une véritable enquête avec honoraires —, l'avenir de l'agence, et de son poste à elle, paraissait incertain. Et puis, il y avait la question de l'argent. Elle savait que Mma Ramotswe et Mr. J.L.B. Matekoni lui versaient un salaire aussi généreux que possible, mais lorsqu'elle avait réglé son loyer en constante augmentation et envoyé de l'argent à ses parents et tantes de Bobonong, il ne lui restait presque rien. Elle se rendait bien compte que ses robes s'élimaient et qu'il lui faudrait s'acheter de nouvelles chaussures sous peu. Elle faisait de son mieux pour demeurer élégante, mais c'était difficile. En ce moment, son compte d'épargne contenait en tout et pour tout deux cent trente-huit pula et quarante-cinq thebe. Cela ne suffirait même pas pour une paire de bonnes chaussures neuves, ni pour les deux ou trois robes dont elle avait besoin. Et une fois qu'elle aurait dépensé cet argent, il ne resterait rien pour les médicaments qui risquaient de devenir nécessaires à son frère.

Mma Makutsi songea que la seule façon d'améliorer sa situation consistait à occuper un second emploi pendant son temps libre. L'école de conduite avait été une bonne idée, mais plus elle y réfléchissait, plus elle comprenait qu'elle ne serait pas réalisable. Elle s'imagina ce qui se produirait si elle en parlait à Mr. J.L.B. Matekoni. Ce dernier l'encouragerait, bien entendu, mais elle entendait déjà sa réaction :

— L'assurance va coûter cher, ferait-il remarquer. Si vous devez laisser des débutants conduire une voiture, on vous fera payer des primes très élevées. Les compagnies d'assurances savent qu'il y aura nécessairement des accidents.

Il lui indiquerait le montant probable de ces primes et ce chiffre l'épouvanterait. S'il fallait vraiment payer aussi cher, tous les calculs qu'elle avait effectués étaient à refaire. Elle devrait revoir à la hausse le prix des leçons de conduite, ce qui réduirait à néant l'avantage qu'elle pensait détenir sur les grandes auto-écoles de la ville, qui bénéficiaient de l'économie d'échelle. Ainsi fallait-il abandonner l'idée qui lui avait semblé si prometteuse et se mettre en quête d'alternatives.

Ce fut alors qu'elle tapait une lettre destinée à un débiteur récalcitrant du garage que l'idée lui vint. C'était une idée si évidemment géniale qu'elle s'empara du fil des pensées de Mma Makutsi et s'incorpora à la lettre.

« Cher monsieur, tapa-t-elle. Nous vous avons déjà écrit le 25/11, le 18/12 et le 14/2 au sujet du solde de cinq cent vingt-deux pula restant dû pour la réparation de votre véhicule. Nous remarquons que vous n'avez pas payé cette somme et nous n'avons donc d'autre choix que… » N'est-il pas intéressant de constater que la plupart des dactylos sont des femmes ? Quand j'étais à l'Institut de secrétariat du Botswana, nous n'étions que des filles et, pourtant, les hommes aussi doivent savoir taper à la machine s'ils veulent utiliser les ordinateurs, ce qui est le cas s'ils sont ingénieurs, hommes d'affaires ou s'ils travaillent dans les banques. Je les ai vus dans les banques, taper avec un doigt et perdre un temps fou. Pourquoi n'apprennent-ils pas à taper correctement ? La réponse est qu'ils ont honte d'avouer qu'ils ne savent pas taper à la machine et qu'ils n'ont pas envie non plus d'apprendre dans une classe entièrement féminine. Ils ont peur que les filles soient plus douées qu'eux ! Et c'est vrai qu'elles sont plus douées ! Même les bonnes à rien qui n'ont eu que cinquante sur cent à l'Institut, même elles seraient meilleures que des hommes. Alors pourquoi ne pas créer un cours spécial pour hommes ? Une école de dactylographie pour hommes ? Ils pourraient y aller en sortant du travail et apprendre à taper avec d'autres hommes. Nous pourrions organiser ce cours dans une salle d'église, peut-être : ainsi, quand ils viendront, les gens croiront qu'ils se rendent à une réunion religieuse. Je pourrais donner moi-même les cours. Je serais la directrice et je décernerais aux hommes un certificat à la fin du cycle d'apprentissage. « Je soussignée certifie que Mr. Untel a suivi avec succès le cours de dactylographie pour hommes et est désormais un dactylographe efficace. Signé : Grace P. Makutsi, Directrice, École de dactylographie pour hommes du Kalahari. »

Elle sortit la lettre de la machine avec un geste de triomphe. Elle était étonnée du naturel avec lequel les mots lui étaient venus, de la justesse profonde du projet commercial que contenait la lettre. En se relisant, elle médita sur cette plongée au cœur de la psychologie masculine qu'elle avait effectuée, sans y penser, par l'intermédiaire des touches du clavier. Bien sûr, il était évident que les hommes n'aimaient pas voir des femmes mieux réussir qu'eux-mêmes. C'était une chose que les filles apprenaient dès leur plus jeune âge. Elle se souvint de ses frères, qui ne supportaient pas de perdre à un jeu face à elle ou à ses sœurs. Il fallait qu'ils gagnent et dès qu'ils s'apercevaient qu'ils risquaient la défaite, ils abandonnaient la partie sous un prétexte quelconque. Dans la vie d'adulte, c'était la même chose.

La dactylographie, bien sûr, était un domaine à part. Non seulement on y retrouvait cette anxiété masculine d'être battu par des femmes dans l'utilisation d'une machine (les hommes aimaient se croire spécialistes des machines), mais s'y ajoutait un certain embarras d'être surpris en train d'accomplir une activité considérée comme féminine. Les hommes ne supportaient pas de se voir comme des secrétaires, et ils avaient d'ailleurs inventé un terme spécial pour ceux d'entre eux qui exerçaient ce métier. On les appelait des *employés de bureau*. Mais quelle différence y avait-il entre un employé de bureau et une secrétaire ? L'un portait un pantalon, l'autre une jupe.

Convaincue de la viabilité de son idée, Mma Makutsi s'aperçut toutefois qu'il existait de nombreux obstacles à sa mise en pratique. D'abord et avant tout, s'imposait cette notion fondamentale que l'on désignait à l'Institut de secrétariat du Botswana sous le terme de « capitalisation », mais qui, en langage simple, se disait « argent ». Elle possédait pour tout capital la somme de deux cent trente-huit pula et quarante-cinq thebe, ce qui permettrait tout juste d'acquérir, au mieux, une machine à écrire d'occasion. Pour une classe de dix élèves, il en faudrait dix, ce qui, à quatre cents pula l'une, représentait un total de quatre mille pula. C'était là une somme faramineuse qu'il faudrait des années d'économies pour réunir. Et même si elle parvenait à emprunter à la banque, les taux d'intérêt seraient tels que tout l'argent versé par ses élèves passerait dans les remboursements. Et puis, de toute façon, la banque n'accepterait jamais de lui prêter quoi que ce fût sans assurance de profit et sans rien, pas même une vache, pour garantir le prêt.

Apparemment, il n'y avait aucun moyen de contourner ce fait brut de logique économique. Pour gagner de l'argent, il fallait en posséder au préalable. Voilà pourquoi ceux qui en avaient s'enrichissaient de plus en plus. Mma Ramotswe illustrait bien cette loi. Même si elle restait très discrète sur l'état de ses finances, elle avait démarré avec l'immense avantage de pouvoir vendre le troupeau légué par son père, et ce à un moment où le prix du bétail était monté en flèche. Elle avait en outre hérité des économies que son père avait judicieusement placées dans les actions d'un magasin et dans un lopin de terre. Ce dernier, par hasard, se trouvait à l'emplacement où une entreprise avait eu besoin de construire un dépôt, aux abords de Gaborone, ce qui en avait fait grimper le prix vers des sommets inimaginables. Tout cela avait permis à Mma Ramotswe d'acheter la maison de Zebra Drive et de créer l'Agence N° 1 des Dames Détectives. Ainsi Mma Ramotswe était-elle la propriétaire, et Mma Makutsi l'employée, sans que rien, semblait-il, ne pût changer cet état de faits. Bien sûr, elle pourrait épouser un homme riche, mais quel homme riche s'intéresserait à elle quand il y avait tant de filles merveilleuses alentour ? Tout cela était désolant.

Des machines à écrire ! Qui possédait un stock de vieilles machines à écrire en partie inutilisables et qui prenaient la poussière dans une réserve ? L'Institut de secrétariat du Botswana !

Mma Makutsi saisit le téléphone. Le règlement stipulait que les appels personnels n'étaient autorisés ni du garage ni de l'agence (*« Cela n'est pas dirigé contre vous*, avait expliqué Mma Ramotswe, *c'est pour les apprentis. Imaginez qu'ils aient la possibilité d'appeler du travail toutes ces filles qu'ils fréquentent ! Nous ne pourrions pas payer la facture, ni même la moitié de la facture...* »). Cette fois-ci, cependant, c'était différent. Il s'agissait de travail, même si cela concernait une activité secondaire.

Elle composa le numéro de téléphone de l'Institut et s'informa poliment de l'état de santé de la réceptionniste à l'autre bout du fil, avant de demander à parler à l'assistante du principal, Mma Manapotsi. Elle connaissait bien Mma Manapotsi, avec qui elle s'arrêtait pour bavarder chaque fois qu'elle la croisait en ville.

— Nous sommes toujours si fiers de vous ! s'exclamait Mma Manapotsi. Quatre-vingt-dix-sept sur cent ! Ce n'est pas une chose qu'on oublie. Jamais personne n'avait réussi à obtenir plus de quatre-vingt-cinq sur cent à cet examen. Votre nom est sûr de rester dans les annales de l'Institut. Nous sommes si fiers !

— Mais vous pouvez aussi être fière de votre fils, lui rappelait Mma Makutsi.

Harry, le fils de Mma Manapotsi, était un célèbre footballeur de l'équipe des Zebras, connu pour avoir marqué un but crucial dans un match contre les Dynamos de Bulawayo l'année précédente. Comme beaucoup de ses collègues, c'était un homme à femmes invétéré et ses cheveux étaient toujours enduits d'un curieux gel gluant, qui devait sans doute plaire aux dames, pensait Mma Makutsi. Toutefois, sa mère était fière de lui, comme le serait n'importe quelle femme dont le fils est capable de mettre les foules à ses pieds.

Une fois la communication établie, les deux femmes échangèrent de chaleureuses salutations, puis Mma Makutsi aborda la question des machines à écrire. Sous la table, elle s'était mise sur la pointe des pieds, afin de forcer la chance. Qui sait ? À l'heure qu'il était, l'Institut avait peut-être déjà jeté ses vieilles machines, à moins qu'il ne les ait envoyées en réparation en vue de les réutiliser.

Mma Makutsi exposa son désir d'organiser un petit cours de dactylographie et indiqua qu'elle était prête à verser quelque chose en échange de la location des machines, même si celles-ci fonctionnaient mal.

— Mais bien sûr ! répondit Mma Manapotsi. Pourquoi pas ? Ces vieilles machines ne nous servent pas et nous avons besoin de faire de la place. Vous pourriez les avoir moyennant…

Mma Makutsi songea à ses petites économies et imagina un livre de comptabilité rempli de séries de zéros dans toutes les colonnes.

— Moyennant une visite que vous feriez chez nous de temps en temps, pour parler à nos élèves, poursuivit Mma Manapotsi. Je pensais justement ajouter une nouvelle activité à nos programmes : des conversations avec des diplômées distinguées portant sur ce qu'il faut attendre du monde du travail. Vous seriez notre première intervenante.

Mma Makutsi accepta la proposition avec empressement.

— Je crois qu'il y a une douzaine de machines, reprit Mma Manapotsi. Mais attention, elles ne fonctionnent pas très bien. Elles font *qwertyui*** au lieu de *qwertyuiop*. Certaines font même *qop*[1].

1. Selon le clavier anglais, bien sûr. *(N.d.T.)*

— Ce n'est pas grave, affirma Mma Makutsi. C'est pour des hommes.

— Ah ? Eh bien, dans ce cas, c'est parfait, estima Mma Manapotsi.

Mma Makutsi raccrocha le combiné puis se leva. Elle jeta un coup d'œil à la porte de communication avec le garage, qui restait toujours ouverte. Personne ne regardait. Alors, avec lenteur, elle se mit à virevolter dans l'agence en une danse d'allégresse, poussant de petits hululements de joie étouffés en se tapant la bouche de la main droite. C'était la danse de la victoire. L'École de dactylographie pour hommes du Kalahari venait de voir le jour : sa première entreprise, son idée à elle ! Elle réussirait, elle n'en doutait pas, et elle résoudrait ainsi tous ses problèmes. Les hommes s'inscriraient en masse, désireux qu'ils étaient d'acquérir cet enseignement vital, et l'argent affluerait sur son compte en banque.

Elle ajusta ses lunettes, qui avaient glissé au bout de son nez pendant la danse, et regarda par la fenêtre pour voir si son employeur arrivait. Elle avait hâte de tout raconter à Mma Ramotswe. Celle-ci l'approuverait à cent pour cent. Les intérêts de son assistante lui tenaient à cœur, Mma Makutsi le savait. Ce serait un soulagement pour elle d'apprendre que son employée avait mis sur pied un projet aussi sain pour occuper son temps libre. Cela correspondait exactement à cet esprit d'entreprise qu'elle évoquait si souvent. Une entreprise fondée sur la compassion. Ces pauvres messieurs qui brûlaient de savoir taper à la machine, mais qui avaient trop honte pour demander qu'on leur apprenne, allaient enfin trouver l'apaisement…

CHAPITRE VII

Ce qu'a fait Mr. Molefelo

Assis sur son rocher au-dessous du grand ciel vide, observé par un petit troupeau de bétail qui s'était assemblé non loin, Mr. Molefelo raconta à Mma Ramotswe, son confesseur, ce qu'il avait fait de nombreuses années auparavant.

— Je suis venu à Gaborone à l'âge de dix-huit ans. J'avais grandi dans un petit village proche de Francistown, où mon père était secrétaire du conseil municipal. Là-bas, c'était un poste important, mais pas ailleurs. Quand je suis arrivé à Gaborone, je me suis aperçu qu'un secrétaire de conseil municipal n'était rien ; nul n'avait entendu parler de lui.

« J'avais toujours été habile de mes mains, si bien que mon école m'a obtenu une place à l'Institut universitaire de technologie du Botswana, qui, à l'époque, était plus modeste qu'aujourd'hui. Je me débrouillais bien dans les matières scientifiques et je pense que mon père espérait me voir un jour dessiner des fusées ou quelque chose comme cela. Il ignorait qu'on ne pratique pas ce genre d'activités à

Gaborone. Pour lui, la capitale était un endroit où tout pouvait arriver.

« Ma famille n'était pas riche, mais j'ai reçu une bourse du gouvernement pour m'aider dans mes études à l'IUT. Cette somme couvrait les frais de scolarité et me permettait de vivre très simplement. Ce n'était pas facile, j'avais souvent faim, mais cela n'a pas d'importance quand on est jeune. Manquer d'argent ne pose pas de problème à cet âge, parce qu'on sait que cela ne durera pas et qu'un jour ou l'autre on gagnera bien sa vie et que l'on mangera à sa faim.

« L'IUT se chargeait de trouver des foyers d'accueil aux étudiants qui n'avaient pas de famille à Gaborone. C'étaient des gens qui disposaient d'une pièce supplémentaire, ou même, parfois, d'un simple abri qu'ils voulaient louer. Certains d'entre nous se retrouvaient dans des logements inconfortables, loin de l'école. D'autres avaient plus de chance et bénéficiaient de chambres à l'intérieur de maisons où ils étaient nourris et traités comme des membres de la famille. Ce fut mon cas. J'avais une chambre dans une maison, près de la prison, chez une famille dont le père appartenait à l'administration pénitentiaire. La maison comprenait trois chambres et je partageais la mienne avec un autre élève de l'IUT. Il étudiait tout le temps et ne faisait pas de bruit. Il était très gentil avec moi et me donnait toujours la moitié des miches de pain qu'il recevait gratuitement de son oncle, qui travaillait dans une boulangerie. Il avait aussi un autre oncle boucher qui nous fournissait en saucisses. En fait, je crois que ce garçon ne payait jamais rien. Ses vêtements, gratuits eux aussi, lui venaient d'une tante vendeuse dans une boutique de prêt-à-porter.

« La maîtresse de maison s'appelait Mma Tsolamosese. Elle était très grosse — un peu comme vous, Mma — et elle nous traitait avec beaucoup de gentillesse. Elle s'assurait que mes chemises étaient bien propres et repassées, en m'expliquant que ma mère devait sûrement compter sur elle pour cela. "Moi, je suis ta mère de Gaborone, disait-elle. Tu as une mère là-bas, près de Francistown, et une autre ici. Celle d'ici, c'est moi."

« Son mari était un homme silencieux. Il n'aimait pas son travail, je crois, parce que, lorsqu'elle lui demandait comment s'était passée sa journée à la prison, il secouait simplement la tête et répondait : "Les prisons sont remplies de gens mauvais. Ils se comportent mal du matin au soir. Voilà comment ça s'est passé aujourd'hui." Je ne me souviens pas de l'avoir entendu en dire davantage.

« J'étais très heureux de vivre dans cette maison et d'étudier à l'IUT. J'étais heureux aussi parce que j'avais une petite amie. Quand j'étais chez moi, au village, je rêvais de trouver une fille qui accepte de parler avec moi, mais aucune ne semblait s'intéresser à moi. Quand je suis arrivé à Gaborone, j'ai vu que beaucoup de filles cherchaient à rencontrer des garçons de l'IUT, parce qu'elles savaient que nous aurions un bon métier un jour et que, si elles réussissaient à se faire épouser, elles auraient une vie agréable. Je sais, je sais, Mma, ce n'est pas aussi simple, mais je crois vraiment que beaucoup de filles pensaient cela.

« J'en ai rencontré une qui rêvait de devenir infirmière. Elle s'était appliquée pour être une bonne élève et avait déjà réussi la plupart des examens qui lui permettraient d'entrer à l'école d'infirmières. Elle était gentille avec moi et j'étais très content de l'avoir comme petite amie. Nous dansions ensemble aux fêtes de l'IUT et elle était toujours bien habillée pour ces occasions. J'étais fier que les autres garçons de l'IUT me voient avec cette fille.

« Ensuite, Mma, il faut que je vous le dise… nous étions si bons amis, cette fille et moi, qu'elle a découvert un jour qu'elle était enceinte. Elle m'a dit que j'étais le père. Je n'ai pas su quoi répondre. Je crois que je l'ai juste regardée sans rien dire. J'étais sous le choc, parce que j'étais étudiant et que je ne me voyais vraiment pas avoir un bébé à ce moment-là.

« Je lui ai dit que je ne pourrais pas l'aider à s'occuper de ce bébé et qu'il faudrait qu'elle l'envoie à sa grand-mère, qui vivait à Molepolole. Je crois que j'ai ajouté que les grand-mères avaient l'habitude de ça. Elle m'a répondu qu'elle ne pensait pas que sa grand-mère à elle aurait la force de le faire, parce qu'elle avait été malade et qu'elle avait perdu toutes ses dents. J'ai dit que, dans ce cas, elle pourrait peut-être trouver une tante.

« Je suis retourné dans ma chambre, chez Mma Tsolamosese, et je n'ai pas dormi de la nuit. Le garçon avec qui je partageais la chambre m'a demandé ce qui n'allait pas et je lui ai expliqué. Il m'a dit que tout était ma faute et que si j'avais passé plus de temps dans les livres, je ne me serais pas fourré dans un tel pétrin. Cela ne m'a guère aidé et je lui ai donc demandé ce qu'il ferait à ma place. Il a répondu qu'il donnerait le bébé à sa tante, qui travaillait dans une crèche et qui s'en occuperait gratuitement.

« J'ai revu ma petite amie le lendemain et je lui ai demandé si elle était toujours enceinte. J'espérais qu'elle s'était trompée, mais elle m'a répondu que le bébé était toujours là et qu'il grossissait un peu chaque jour. Il faudrait bientôt qu'elle raconte tout à sa mère, et sa mère le dirait à son père. Dès lors, il faudrait que je fasse attention, a-t-elle ajouté, parce que son père viendrait sûrement me chercher pour me tuer, à moins qu'il ne paie quelqu'un pour le faire. Elle a affirmé qu'à son avis il avait déjà tué quelqu'un à la suite d'une discussion concernant du bétail, mais qu'il n'aimait pas beaucoup en parler. Cela ne m'a pas rassuré. J'imaginais qu'il me faudrait quitter l'IUT et chercher du travail quelque part, très loin de Gaborone, là où cet homme ne pourrait pas me retrouver.

« Ma petite amie a commencé à s'énerver contre moi. À notre rencontre suivante, elle a crié et m'a dit que je l'avais laissée tomber. Elle a dit qu'à cause de moi elle devrait essayer de se débarrasser du bébé avant qu'il naisse. Elle a dit qu'il y avait une femme qui faisait ce genre de choses à Old Naledi, mais que, comme c'était illégal, cela coûtait cent pula, ce qui représentait une somme à l'époque. J'ai répondu que je n'avais pas les cent pula, mais que j'allais m'arranger pour les gagner.

« Je suis rentré chez moi et je suis resté dans ma chambre, à réfléchir. Je me demandais comment réunir la somme nécessaire pour se débarrasser du bébé. Je n'avais pas d'économies et je ne pouvais pas demander ça à mon père. Il n'avait pas d'argent à dépenser et tout ce que j'obtiendrais si je lui en parlais, c'était qu'il se mette très en colère contre moi. C'est pendant que je pensais à cela que j'ai entendu Mma Tsolamosese allumer la radio dans la salle de séjour. C'était une très bonne radio, pour laquelle ils avaient épargné longtemps. Tout à coup, j'ai pensé : cet objet-là coûte au moins cent pula.

« La suite, vous pouvez la deviner, Mma. Oui. Dans la nuit même, une fois tout le monde endormi, je me suis faufilé dans la salle de séjour et j'ai pris la radio. Je suis allé la cacher dans le bush, près de la maison, dans un endroit où je savais qu'on ne la trouverait pas. Puis je suis revenu et j'ai ouvert la fenêtre de la salle de séjour afin que le lendemain matin tout porte à croire que quelqu'un avait forcé la fenêtre et volé la radio.

« J'ai fait semblant d'être aussi choqué que les autres. Quand la police est venue, elle m'a demandé si j'avais entendu quelque chose au cours de la nuit et j'ai menti. J'ai raconté que j'avais entendu du bruit, en effet, mais que j'avais pensé que c'était Rra Tsolamosese qui se levait au milieu de la nuit. L'un des policiers a écrit cela dans son carnet, puis ils sont partis. Ils ont dit à Mma Tsolamosese qu'il ne fallait pas espérer récupérer la radio. "Ces voleurs revendent leur butin de l'autre côté de la frontière. Votre radio doit déjà être loin à l'heure qu'il est. Nous sommes désolés, Mma."

« J'ai attendu que le calme soit revenu et je suis allé à l'endroit où j'avais caché la radio. J'ai fait bien attention à ce que personne ne me voie. J'ai mis la radio sous mon manteau et je me suis rendu du côté de la gare, où j'avais entendu dire que des gens achetaient des choses sans poser de questions. Je me suis assis sous un arbre, ma radio sur les genoux, et j'ai attendu qu'il se passe quelque chose. Bien sûr, au bout de dix minutes à peine, un gars est venu vers moi et m'a dit que j'avais une bien belle radio qui me rapporterait au moins cent cinquante pula si j'avais envie de la vendre. J'ai répondu que je serais content de la vendre, et il m'a dit : "Dans ce cas, je t'en donne cent pula, parce que je vois bien que tu l'as volée et, pour moi, c'est plus risqué."

« J'ai essayé de négocier, mais j'avais peur de voir surgir la police et j'ai fini par accepter les cent pula. J'ai donné l'argent à ma petite amie le soir même. Elle a pleuré en le prenant. Elle n'arrêtait pas de pleurer. Elle a tout de même réussi à me dire, à travers ses larmes, qu'elle me reverrait le week-end suivant, une fois qu'elle serait allée à Old Naledi pour se débarrasser du bébé.

« J'ai dit d'accord, mais je suis désolé d'avoir à vous l'avouer, Mma, je ne suis pas allé au rendez-vous. Nous avions l'habitude de nous retrouver devant un café de l'African Mall. Elle m'attendait toujours là et, ensuite, nous allions nous promener en regardant les vitrines. Ce fameux samedi, elle s'est postée au même endroit, mais moi, je suis resté sous un arbre, à faible distance, et je l'ai regardée. Je n'ai pas eu le courage d'aller lui dire que je ne voulais plus la revoir. Cela n'aurait pas été difficile de marcher jusqu'à elle et de lui parler, mais je ne l'ai pas fait. Au bout d'une demi-heure, elle est partie. Je l'ai vue s'éloigner : elle marchait les yeux baissés, comme si elle avait honte.

« Elle m'a fait parvenir une lettre par l'intermédiaire d'un élève de ma classe dont elle connaissait la sœur. Elle disait que je n'aurais pas dû la renvoyer après ce qui s'était passé. Elle disait qu'elle pleurait pour le bébé et que je n'aurais pas dû l'obliger à aller voir cette femme à Old Naledi. Elle disait aussi qu'elle me pardonnait cependant et qu'elle viendrait me voir chez les Tsolamosese.

« Je lui ai envoyé ma réponse par l'intermédiaire du même garçon. Dans cette lettre, je lui disais que j'étais désormais trop occupé par mes études pour la revoir et qu'elle ne devait pas venir à la maison, même si c'était juste pour me dire au revoir. J'ai écrit que j'étais désolé de la savoir malheureuse, mais qu'une fois qu'elle aurait commencé ses études d'infirmière, elle serait très occupée par son travail et qu'elle m'oublierait. J'ai ajouté qu'il y avait beaucoup d'autres garçons et qu'elle en trouverait un très vite si elle se mettait à chercher vraiment.

« Je sais qu'elle a reçu cette lettre, parce que la sœur de mon camarade de classe a dit à son frère qu'elle la lui avait donnée. Une semaine plus tard environ, ma petite amie est tout de même venue à la maison à l'heure où nous mangions le dîner qu'avait préparé pour nous Mma Tsolamosese. L'un des enfants Tsolamosese a regardé par la fenêtre et a dit qu'il y avait une fille à la grille. Mma Tsolamosese a envoyé son fils demander à cette fille ce qu'elle voulait. La réponse était qu'elle souhaitait me voir. J'avais les yeux fixés sur mon assiette, comme si cette histoire ne me concernait pas du tout, mais il a tout de même fallu que je me lève et que j'aille lui parler. "Peut-être que Molefelo est un briseur de cœurs qui cache bien son jeu", a lancé Mma Tsolamosese au moment où je sortais.

« J'étais très en colère qu'elle soit venue et je pense que j'ai élevé la voix. Elle, elle se contentait de rester là, à pleurer et à dire qu'elle m'aimait toujours, même si j'avais été cruel avec elle. Elle m'a expliqué qu'elle ne m'empêcherait pas de travailler et qu'elle avait juste besoin de me voir une fois par semaine. Elle a dit aussi qu'elle essaierait de trouver un moyen de me rembourser les cent pula que je lui avais donnés.

« J'ai répondu : "Je ne veux pas de ton argent. Je ne suis plus amoureux de toi, parce que j'ai compris que tu étais comme toutes ces filles qui harcèlent les hommes et s'arrangent pour qu'ils aient honte d'eux-mêmes. Les garçons doivent se préserver des filles comme toi."

« À ces mots, elle a redoublé de larmes et elle m'a dit : "Je t'attendrai toute ma vie. Je penserai à toi tout le temps et, un jour, tu reviendras. Je vais t'écrire une lettre pour que tu saches à quel point je t'aime."

« Elle a voulu me prendre la main, mais je l'ai repoussée et je suis reparti vers la maison. Elle a tenté de me suivre, mais je l'ai poussée à nouveau et, cette fois, elle est partie. Durant toute cette scène, la famille Tsolamosese s'était postée à la fenêtre pour nous regarder.

« Quand je suis rentré, ils avaient tous repris leur place à table.

« "Tu ne devrais pas traiter les filles de cette façon, m'a dit Mma Tsolamosese. Je te parle comme ça parce que je suis ta mère de Gaborone. Aucune mère ne peut laisser son fils se comporter ainsi.”

« Le père m’a regardé lui aussi. Puis il a dit : “Tu fais comme ces hommes mauvais qui sont à la prison. Ils n’arrêtent pas de pousser les gens, de les brutaliser. Fais attention, sinon, tu finiras à la prison toi aussi. Fais attention.”

« Et leur fils, qui me regardait lui aussi, m’a dit : “Oui. Un de ces jours, il y aura quelqu’un qui viendra te faire pareil. Ça pourrait arriver, tu sais.”

« Je me sentais très gêné par ce qui s’était passé. Alors, j’ai menti. Je leur ai dit que cette fille me demandait de l’aider à tricher pour ses examens et que je n’étais pas d’accord. Ils ont été très étonnés et ils se sont excusés de m’avoir mal jugé. “C’est une bonne chose pour le Botswana d’avoir des garçons honnêtes comme toi, a dit le père. Si tout le monde était comme toi, je serais au chômage. On n’aurait plus besoin de prisons dans ce pays.”

« Je n’ai rien répondu. Je pensais que non seulement j’avais volé ces gens, mais je leur avais aussi menti. Je pensais à la tristesse de ma petite amie et à la façon dont je l’avais forcée à se débarrasser du bébé. Je pensais au bébé lui-même. Mais je me suis contenté de rester silencieux en mangeant la nourriture de ces gens que j’avais trompés. Seul le garçon qui partageait ma chambre semblait deviner mes sentiments. Il m’a dévisagé avec attention, puis s’est détourné. J’ai pensé que lui, il savait que je m’étais très mal comporté.

« Il n’y a pas grand-chose de plus à raconter, Mma. Au bout de quelques semaines, j’ai oublié cette histoire. Je pensais encore à la radio de temps en temps et, dans ces moments-là, je me sentais mal, mais je ne me suis plus jamais soucié de la fille. Ensuite, quand j’ai obtenu mon diplôme et trouvé un travail, j’ai commencé à être trop occupé pour songer au passé.

J'ai bien réussi dans les affaires et j'ai pu acquérir l'hôtel à très bon prix. J'ai trouvé une bonne épouse et j'ai eu les deux fils dont je vous ai parlé. Il y a aussi trois filles. J'ai tout ce que je souhaite dans la vie, mais après ce qui m'est arrivé quand ces hommes sont venus à la ferme, j'ai voulu libérer ma conscience. Je veux réparer les mauvaises actions que j'ai commises.

Mr. Molefelo se tut et regarda Mma Ramotswe, qui enroulait un long brin d'herbe autour de son doigt.

— C'est tout, Rra ? interrogea-t-elle au bout d'un moment. Vous m'avez tout dit ?

Mr. Molefelo hocha la tête.

— Je ne vous ai rien caché. C'est ce qui s'est passé. Je m'en souviens très bien et je vous ai tout dit.

Mma Ramotswe l'observa. Il disait la vérité, pensa-t-elle, parce que la vérité se lisait dans ses yeux.

— Cela n'a pas dû vous être facile de parler, déclara-t-elle. Vous avez fait preuve d'un grand courage. La plupart des gens ne racontent jamais ce genre d'histoires. Ils préfèrent passer pour meilleurs qu'ils ne sont.

— Ce n'était pas mon but, répondit Mr. Molefelo. Si je vous ai raconté tout cela, c'était pour que quelqu'un sache la vérité.

— Et maintenant ? demanda-t-elle. Que voulez-vous faire maintenant ?

Mr. Molefelo fronça les sourcils.

— Je voudrais que vous m'aidiez. C'est pourquoi je suis venu vous voir.

— Mais que pourrais-je faire ? s'étonna Mma Ramotswe. Je n'ai pas le pouvoir de modifier le passé. Je ne peux pas vous transporter en arrière.

— Bien sûr. Ce n'est pas ce que j'attends de vous. Je voudrais juste que vous m'aidiez à mettre de l'ordre dans tout ça.

— Mais comment ? Je ne peux pas ramener ce bébé à la vie. Je ne peux pas retrouver la radio. Je ne peux pas effacer la tristesse qu'a ressentie cette jeune fille. Toutes ces choses sont mortes et enterrées depuis longtemps. À quand remonte cette histoire ? Vingt ans ? Cela fait beaucoup.

— Je sais que cela fait beaucoup. Mais il est peut-être possible de faire quelque chose. J'aimerais rembourser la famille Tsolamosese. Et j'aimerais donner de l'argent à cette fille. Je voudrais arranger tout ça.

Mma Ramotswe poussa un soupir.

— Vous croyez vraiment que l'argent peut réparer les choses ? Vous pensez vraiment qu'en payant quelqu'un vous effacerez le passé ?

— Non, répondit Mr. Molefelo. Je ne le crois pas. Je ne suis pas idiot. Mais j'aimerais leur présenter des excuses. Leur présenter des excuses, et aussi leur donner de l'argent.

Il y eut un long silence. Mma Ramotswe réfléchissait. Que ferait-elle à la place de son interlocuteur ? Si elle en avait le courage, elle irait voir les personnes impliquées pour confesser ses mauvaises actions. Puis elle chercherait à faire amende honorable. C'était exactement ce qu'il souhaitait, à une différence près : il attendait d'elle qu'elle le fasse pour lui. Seulement, pensa-t-elle, des excuses indirectes n'étaient pas des excuses.

— Ne croyez-vous pas, commença-t-elle, ne croyez-vous pas que vous êtes en train de me demander de faire le sale travail — ou, disons, le travail difficile — à votre place ? Ne croyez-vous pas que cela signifie que vous n'êtes pas vraiment prêt à vous excuser ?

Mr. Molefelo la dévisagea. Il semblait bouleversé et elle se demanda si elle ne s'était pas montrée trop directe. Il avait déjà été difficile pour lui de raconter son histoire, sans qu'elle ajoute encore au malaise qu'il ressentait en l'accusant de lâcheté. Et de quel droit accuserait-elle quelqu'un de lâcheté ? Pouvait-on savoir quel comportement on adopterait soi-même dans une telle situation ?

— Je suis désolée, fit-elle en lui touchant le bras. Je ne voulais pas vous faire de peine. Je comprends à quel point c'est difficile pour vous.

Elle lut l'angoisse dans les yeux de l'homme lorsqu'il répondit :

— Tout ce que je veux, Mma, c'est que vous retrouviez ces personnes. Je ne sais pas du tout où elles sont aujourd'hui. Ensuite, une fois que vous les aurez localisées, je vous promets d'être courageux. J'irai les voir et je leur parlerai directement.

— C'est bien, déclara Mma Ramotswe. Personne ne vous en demande davantage.

— Mais serez-vous d'accord pour m'aider ? la pressa Mr. Molefelo. Serez-vous d'accord pour m'accompagner quand j'irai les voir ? J'ai peur de reculer au dernier moment si vous n'êtes pas avec moi.

— Bien sûr que je viendrai, assura-t-elle. Je viendrai avec vous et je me dirai en moi-même : voilà un homme courageux. Seul un homme courageux peut regarder ses erreurs passées et les affronter comme le fait celui-ci.

Mr. Molefelo sourit. Le soulagement s'affichait sur son visage.

— Vous êtes vraiment gentille, Mma Ramotswe.

— Ça, je ne sais pas, répondit Mma Ramotswe en se levant et en époussetant sa robe. Mais à présent, il est temps de rentrer. Sur le chemin du retour, je vous parlerai d'un problème que j'ai en ce moment. Il s'agit d'un petit garçon qui a tué un moqueur d'Afrique. Je voudrais connaître votre avis. Vous avez deux fils, vous pourrez peut-être me conseiller.

CHAPITRE VIII

Les machines à écrire, et une réunion de prière

Chaque fois qu'elle regardait l'Institut de secrétariat du Botswana, Mma Makutsi sentait la fierté l'envahir. Elle avait passé là six mois de son existence, à vivoter tant bien que mal, travaillant la nuit comme réceptionniste dans un hôtel (un emploi qu'elle détestait) et luttant contre le sommeil la journée. Sa détermination et sa persévérance avaient payé et jamais elle n'oublierait la puissance des applaudissements à la cérémonie de remise des diplômes, lorsque, sous les yeux émus de ses parents, qui avaient vendu un mouton pour payer le voyage jusqu'à Gaborone, elle avait traversé l'estrade et reçu son diplôme de secrétariat. De toute sa vie, elle en était sûre, elle ne connaîtrait pas plus grand triomphe.

— Tu vois ça, là ? demanda-t-elle au plus âgé des apprentis, que Mr. J.L.B. Matekoni avait délégué pour l'aider à transporter les machines à écrire. Cette devise, sur le tableau, en haut ? *Soyez précis*. C'est la devise de l'Institut.

— Oui, répondit l'apprenti. C'est une bonne devise. On est obligé d'être précis quand on tape à la machine. Sinon, on doit s'y reprendre à deux fois. Et ce n'est pas bien.

Mma Makutsi lui jeta un regard en biais.

— C'est une bonne devise pour la vie en général, tu ne crois pas ?

L'apprenti ne répondit pas et ils poursuivirent leur progression dans le couloir qui menait à l'administration de l'école.

— Ici, il n'y a que des filles, non ? interrogea soudain le jeune homme.

— Oui. Il n'y a aucune raison à cela, mais en tout cas, c'était comme ça du temps où j'y étais.

— Moi, j'aimerais bien étudier ici, reprit-il. Ça me conviendrait tout à fait. J'aimerais bien me retrouver dans une classe où il n'y aurait que des filles.

Mma Makutsi sourit.

— Je suis sûre qu'il y en a qui seraient ravies aussi, répondit-elle. Les plus mauvaises.

— Il n'y a pas de mauvaises filles, protesta l'apprenti. Toutes les filles ont leur utilité. Toutes les filles sont les bienvenues.

Déjà, ils parvenaient au bureau. Mma Makutsi se présenta à la secrétaire de la directrice adjointe.

— Mma Manapotsi va être très heureuse de vous recevoir, Mma, dit l'employée avec un coup d'œil appréciateur en direction du jeune homme, qui lui souriait. Elle se souvient très bien de vous.

Mma Makutsi fut introduite dans le bureau de Mma Manapotsi, tandis que l'apprenti restait à l'extérieur, à demi perché sur un coin du bureau de la secrétaire. Il amusait la jeune fille en pressant un doigt sur une feuille de papier blanche, où il laissait une empreinte de graisse noire.

— C'est ma marque de fabrique, expliqua-t-il. Quand je tiens la main d'une jolie fille — comme toi —, je dépose ma marque. Une marque qui dit : Ceci est ma propriété ! Pas touche !

À l'intérieur, Mma Manapotsi accueillit Mma Makutsi avec effusion. Elle l'interrogea sur son emploi actuel et aborda la délicate question du salaire.

— Ce n'est pas rien d'être à la fois assistante-détective et secrétaire de direction, déclara Mma Manapotsi. J'espère qu'on vous donne ce que vous méritez. Nous aimons que nos diplômées soient correctement rémunérées.

— Ils me donnent le maximum qu'ils peuvent me donner, répondit Mma Makutsi. Rares sont les gens qui sont rémunérés à la mesure de leurs mérites, vous ne croyez pas ? Même le président du Botswana ne reçoit pas le salaire qui devrait lui revenir, selon moi. Nous devrions le payer davantage, à mon avis.

— Vous avez peut-être raison, soupira Mma Manapotsi. Pour ma part, j'ai toujours trouvé que les directrices adjointes d'instituts de formation devraient être mieux rémunérées elles aussi. Mais il ne faut pas se plaindre, n'est-ce pas, Mma ? Si tout le monde se met à se plaindre, il ne nous restera plus de temps pour faire autre chose. Ici, à l'Institut de secrétariat du Botswana, nous ne nous plaignons pas. Nous faisons ce que nous avons à faire.

— C'est la meilleure attitude à avoir, estima Mma Makutsi.

La conversation se poursuivit sur le même mode durant quelques minutes. De derrière la porte leur parvenaient des voix étouffées entrecoupées d'éclats de rire. Enfin, elles abordèrent le sujet des vieilles machines à écrire. Mma Manapotsi confirma sa proposition.

— Nous pouvons aller les chercher tout de suite, déclara-t-elle. Votre jeune homme pourra vous les porter, s'il n'est pas trop occupé avec ma jeune fille.

— Il est toujours comme ça avec les filles, expliqua Mma Makutsi. Avec toutes les filles qu'il rencontre. C'est triste, mais c'est ainsi.

— Cela ne nous plairait pas que les hommes nous ignorent, fit remarquer Mma Manapotsi. Mais parfois, il est vrai qu'on aimerait mieux qu'ils nous oublient un peu.

Ils se rendirent à la réserve, où, parmi des piles de documents et de livres, étaient entreposées les machines à écrire inutilisées.

— Elles sont vieilles, rappela Mma Manapotsi, mais la plupart pourront sans doute être remises en état de marche, ou quasiment. Il faudra les huiler un peu.

— Ce n'est pas l'huile qui manque au garage, lança l'apprenti, tout en faisant tourner un cylindre à titre expérimental.

— Peut-être, répondit Mma Manapotsi. Mais souvenez-vous que ces machines n'ont rien de commun avec les voitures. Elles sont beaucoup plus délicates.

Ils rentrèrent au Tlokweng Road Speedy Motors, où Mr. J.L.B. Matekoni avait accepté d'entreposer et de réparer les machines en attendant que Mma Makutsi trouve un local où organiser ses cours. Mma Ramotswe, qui avait approuvé le projet, bien qu'elle eût des doutes quant à son succès, offrit de payer une annonce dans le journal pour attirer l'attention sur les cours et se proposa pour participer à la restauration des machines.

— Motholeli sera heureuse de nous aider elle aussi, ajouta-t-elle. Elle adore les machines et elle est très habile de ses doigts.

— Cette affaire va rouler, déclara Mr. J.L.B. Matekoni. Moi, les bonnes affaires, je les sens. Et je suis sûr que celle-ci marchera bien.

La prédiction emplit Mma Makutsi d'enthousiasme. L'idée qu'elle allait se lancer dans une entreprise bien à elle l'effrayait, et les encouragements de ses employeurs lui mirent du baume au cœur.

— Vous le croyez vraiment, Rra ?

— Je n'ai pas le moindre doute, assura Mr. J.L.B. Matekoni, formel.

L'époque, semblait-il, était au soutien mutuel. L'Agence N° 1 des Dames Détectives soutenait le Tlokweng Road Speedy Motors en lui fournissant les services de secrétariat et de comptabilité, en la personne de Mma Makutsi, qui, à l'occasion, aidait aussi pour des révisions de véhicules. En retour, le Tlokweng Road Speedy Motors versait presque l'intégralité du salaire de Mma Makutsi, ce qui permettait à celle-ci de demeurer assistante-détective. Pour sa part, Mma Ramotswe soutenait Mr. J.L.B. Matekoni en lui préparant chaque soir son dîner et en s'occupant du blanchissage de ses bleus de travail et de ceux des apprentis. Les apprentis, éduqués et formés par Mr. J.L.B. Matekoni, qui se montrait tolérant vis-à-vis de leurs faiblesses, ce que beaucoup d'autres patrons eussent refusé de faire, le récompensaient à leur façon. Lorsqu'il fallut restaurer les machines à écrire, ils accomplirent le plus gros du travail, renonçant pendant deux semaines à une partie de leur temps de pause pour manipuler les machines avec douceur, afin de les amener à donner le meilleur d'elles-mêmes.

Ce fut dans cet esprit de coopération que tout le monde s'accorda à assister à un office religieux, au cours duquel le plus jeune apprenti devait s'exprimer en public. Il leur avait demandé de venir l'écouter, car c'était la première fois qu'il s'adresserait à toute la communauté de son église et cette épreuve, expliqua-t-il, représentait beaucoup pour lui.

— Nous devons y aller, estima Mr. J.L.B. Matekoni. Je ne pense pas que nous puissions lui refuser ça.

— Tu as raison, renchérit Mma Ramotswe. C'est très important pour lui. C'est un peu comme une remise de prix. S'il devait recevoir un prix, nous serions tous là pour le voir.

— Ce genre de cérémonie dure très longtemps, fit remarquer Mma Makutsi. N'espérez pas vous en tirer à moins de trois heures. Mangez un gros morceau de viande avant, sinon, vous allez vous sentir faiblir.

L'office eut lieu le dimanche suivant, dans une petite église proche du Centre de tri des diamants. Mma Ramotswe et Mr. J.L.B. Matekoni arrivèrent en avance. Ils étaient là depuis vingt bonnes minutes, à contempler le plafond, lorsque Mma Makutsi fit son apparition.

— Maintenant, nous sommes au complet, chuchota Mr. J.L.B. Matekoni. Il ne manque que son frère, Charlie, qui n'est pas venu.

— Il doit être avec une fille, répondit Mma Makutsi. Voilà où il doit être.

Mma Ramotswe ne dit rien. Elle regardait les fidèles arriver, adressant de discrets signes de main à une ou deux personnes qu'elle reconnaissait et souriant aux enfants. Enfin, les officiants apparurent : le ministre du culte, vêtu d'une ample toge bleue, et le chœur, en bleu également, dans les rangs duquel ils aperçurent l'apprenti, qui leur lança des sourires d'encouragement.

Il y eut d'abord des hymnes et des prières, puis le ministre du culte prit la parole.

— Il y a des pécheurs parmi nous, déclara-t-il. Ils portent des vêtements ordinaires, ils marchent et parlent comme n'importe quelle autre personne. Mais leurs cœurs sont remplis de péchés et, tandis qu'ils sont assis dans cette église, ils se préparent déjà à en commettre d'autres.

Mr. J.L.B. Matekoni jeta un coup d'œil à Mma Ramotswe. Avait-il le cœur rempli de péchés ? Et elle ?

— Heureusement, il existe un moyen de nous sauver, poursuivit le prédicateur. Pour cela, il suffit de fouiller nos cœurs afin de déceler les péchés qui y demeurent. Ensuite, nous pourrons agir pour les en déloger.

Il y eut des murmures approbateurs dans l'assistance. Un homme gémit doucement, comme sous l'effet de la douleur, mais ce n'était que le péché, songea Mma Ramotswe. Le péché nous fait gémir. Son empreinte. Sa tache.

— Et ceux qui viennent dans cette église, enchaîna le prédicateur, y apportent avec eux leurs péchés. Ils apportent leurs péchés au milieu des gens de Dieu. Ils viennent tout droit de Babylone.

Mr. J.L.B. Matekoni, qui avait fixé ses mains jointes tout le temps de ce discours, releva la tête et s'aperçut que tout le monde les regardait, Mma Ramotswe, Mma Makutsi et lui. Il poussa discrètement sa voisine du coude.

— Oui ! enchaîna l'orateur. Il y a des étrangers dans cette assistance. Vous êtes les bienvenus, mais vous devez exposer vos péchés devant les gens de Dieu. Nous vous aiderons. Nous ferons de vous des êtres pleins de force.

Un silence complet s'installa. Mma Makutsi jeta autour d'elle un regard angoissé. Ce n'était pas une façon d'accueillir des nouveaux venus. D'ordinaire, les communautés recevaient les visiteurs avec chaleur et vous applaudissaient quand vous vous leviez. La religion à laquelle avait adhéré l'apprenti était bien étrange.

Le prédicateur désigna soudain Mr. J.L.B. Matekoni.

— Parle, mon frère ! lança-t-il. Nous t'écoutons.

Mr. J.L.B. Matekoni lança un regard terrifié à Mma Ramotswe.

— Je… commença-t-il. Je suis un pécheur. Oui… Enfin, je crois…

Mma Ramotswe choisit cet instant pour se lever d'un bond.

— Ô mon Dieu ! s'écria-t-elle. C'est moi la pécheresse ici ! C'est moi ! J'ai commis tant de péchés que je n'arrive plus à les compter. Ils pèsent des tonnes. Ils me font chavirer. Oh là là ! Oh là là !

Le prédicateur leva la main droite.

— Que la puissance du Seigneur soit sur toi, ma sœur ! Le Seigneur te soulagera de tes péchés. Avoue tes péchés ! Prononce leurs noms terribles !

— Oh, il y en a trop ! se lamenta Mma Ramotswe. Oh, je ne peux pas porter tous ces péchés. Ils me donnent la fièvre ! Je sens les feux de l'enfer ! Oh, les feux de l'enfer sont en train de me consumer ! J'ai si chaud ! Oh là là !

Elle s'affaissa sur le banc tout en s'éventant avec le livret des hymnes.

— Les feux ! hurla-t-elle encore. Les feux sont autour de moi ! Faites-moi sortir !

Mr. J.L.B. Matekoni reçut un coup de coude dans les côtes.

— Il faut que je l'emmène dehors, déclara-t-il, s'adressant à l'ensemble de l'assistance. Les feux…

Mma Makutsi se leva à son tour.

— Je vais vous aider. Cette pauvre femme ! Tous ces péchés ! Oh là là !

Une fois dehors, ils gagnèrent très vite la voiture de Mr. J.L.B. Matekoni, qui était garée dans la longue file des véhicules des fidèles et que rien ne distinguait apparemment des autres.

— Tu es très bonne comédienne, dit Mr. J.L.B. Matekoni une fois au volant. J'étais gêné, moi. J'étais obligé de penser au péché.

— Mais peut-être que je ne jouais pas la comédie… répondit Mma Ramotswe, pince-sans-rire.

CHAPITRE IX

L'administration

Mr. Molefelo avait fourni très peu de renseignements à Mma Ramotswe. Tout ce qu'elle savait sur les personnes qu'elle devait retrouver, c'était que Mr. Tsolamosese avait travaillé dans l'administration pénitentiaire, que la famille Tsolamosese avait habité un logement de fonction près de l'ancien aérodrome et que la petite amie, qui s'appelait Tebogo Bathopi, était originaire de Molepolole et voulait suivre des études d'infirmière. C'était plutôt maigre. Il avait dû se passer bien des choses en vingt ans. Tebogo s'était sans doute mariée et, dans ce cas, elle avait changé de nom. Mr. Tsolamosese avait sûrement pris sa retraite, si bien que sa famille avait dû déménager. Heureusement, il était difficile de disparaître au Botswana, où vivaient moins de deux millions d'habitants dotés d'une très saine curiosité qui les poussait toujours à se renseigner sur l'identité et l'origine de leurs prochains. Il se révélait donc quasi impossible de garder l'anonymat, même à Gaborone, car on avait toujours des voisins qui tenaient à savoir exactement ce que vous faisiez et comment s'appelaient vos parents. Si l'on voulait vraiment vivre incognito, il fallait s'exiler dans un lieu comme Johannesburg : là-bas, nul ne semblait se soucier d'autrui.

Retrouver la famille Tsolamosese serait donc relativement simple, songea Mma Ramotswe. Même si Mr. Tsolamosese avait pris sa retraite, il y aurait sans doute à la prison un ou plusieurs employés qui sauraient où il était allé. L'administration pénitentiaire représentait une petite communauté très unie. Ces gens-là vivaient tout près les uns des autres et les mariages entre familles étaient fréquents. Ils devaient se protéger mutuellement, car tous étaient guettés par le danger de voir un ancien prisonnier tenter de se venger, ce qui était arrivé une ou deux fois, Mma Ramotswe l'avait lu dans les journaux. Dans un cas, un prisonnier qui avait réussi à s'échapper s'était introduit chez son geôlier. Caché sous le lit, il avait attendu que le gardien s'endorme pour le poignarder à travers la couverture. L'incident avait beaucoup choqué, même si la victime avait survécu à l'attaque sans trop de séquelles et que le prisonnier avait été arrêté et roué de coups. Savoir qu'il existait des individus aussi malfaisants faisait froid dans le dos, pensa Mma Ramotswe. Comment un être humain pouvait-il infliger une telle violence à un autre être humain ? La réponse, bien sûr, c'était que ces gens-là avaient le cœur sec. Ils n'éprouvaient aucun sentiment positif et il leur était facile de commettre de tels actes. Dieu les jugerait, elle le savait, mais en attendant, ils pouvaient faire beaucoup de mal. Le pire, c'était qu'ils sapaient la confiance des gens. En règle générale, on pouvait se fier à autrui, mais en apprenant que de tels événements s'étaient produits, on commençait à se méfier de tout le monde, même dans un bon pays comme le Botswana. Bien sûr, c'était incroyablement pire ailleurs, mais même au Botswana, il fallait tenir fermement son sac à main lorsqu'on se promenait la nuit, au cas où un jeune armé d'un couteau surgirait pour vous détrousser. Pouvait-on imaginer conduite plus éloignée des vieilles traditions de courtoisie et de respect qui caractérisaient le Botswana traditionnel ? Comment réagirait Obed Ramotswe s'il revenait aujourd'hui et voyait ce qui se passait, que dirait ce père qui, lorsqu'il trouvait ne serait-ce qu'un billet d'un pula dans la rue, l'apportait aussitôt à la police, sans comprendre la surprise des agents face à une telle honnêteté ?

Mma Ramotswe résolut de diviser sa mission en deux parties. D'abord, elle trouverait la famille Tsolamosese et lui proposerait le dédommagement dont elle avait discuté avec Mr. Molefelo. Puis, une fois cette page du passé tournée, elle s'attaquerait à la tâche bien plus ardue de rechercher Tebogo. La première étape consista donc à téléphoner à la prison pour demander si Mr. Tsolamosese y travaillait encore. Comme elle s'y attendait, son interlocuteur ne connaissait personne de ce nom. Mma Ramotswe demanda à parler à l'employé le plus âgé du bureau.

— Pourquoi désirez-vous parler à une personne âgée, Mma ? lui demanda-t-on poliment.

— Parce que les personnes âgées savent plus de choses que les autres, répondit-elle.

Il y eut un silence à l'autre bout du fil. Puis, après un moment d'hésitation, le doyen de l'administration pénitentiaire prit la communication.

— J'ai cinquante-huit ans, Mma, déclara-t-il en se présentant. Est-ce que c'est assez vieux pour vous, ou cherchez-vous plutôt quelqu'un de quatre-vingts ou quatre-vingt-dix ans ?

— Cinquante-huit ans, c'est parfait, Rra, assura-t-elle. Une personne de cinquante-huit ans sait généralement de quoi elle parle.

La remarque fut bien reçue.

— Je suis prêt à vous aider, si je le peux. Qu'est-ce que vous voulez savoir ?

— J'aimerais savoir si vous vous souvenez de Mr. Tsolamosese, expliqua-t-elle. Il travaillait à la prison il y a quelques années. Peut-être n'y est-il plus aujourd'hui.

— Ah oui, fit la voix. J'ai travaillé avec lui. Il n'était pas très bavard. Il ne disait jamais rien, mais il était très appliqué et très compétent.

— Il ne travaille plus, donc ? pressa Mma Ramotswe.

— Non, il ne travaille plus. En fait, je suis désolé de devoir vous l'annoncer, mais il est mort.

Mma Ramotswe se sentit défaillir. Mais Mma Tsolamosese était peut-être encore en vie, elle, et dans ce cas, Mr. Molefelo pourrait s'adresser à elle pour lui présenter excuses et dédommagement.

— Il a eu une crise cardiaque, je crois, poursuivit la voix. Il y a huit ans. Il travaillait encore ici à l'époque, mais il était très malade et il a fini par mourir.

— Et sa veuve ? s'enquit Mma Ramotswe.

— Elle est partie, mais cela m'étonnerait que quelqu'un d'ici sache où elle est allée. Elle a dû retourner dans son village. Vous pourriez demander au service des pensions, bien sûr. Elle doit recevoir sa pension de veuve si elle est en vie. Et dans ce cas, ils ont son adresse. Vous pouvez toujours essayer.

— Vous êtes très aimable, Rra, dit Mma Ramotswe. J'ai quelque chose à donner à cette dame et vous m'avez aidée à la retrouver. Vous êtes très aimable.

— C'est mon métier d'aider les gens, affirma la voix.

— C'est très bien.

— Oui, dit la voix.

— J'espère que vous êtes très heureux dans la vie, reprit Mma Ramotswe. Vous m'avez apporté une aide précieuse.

— Je suis très heureux, assura la voix. Je pars à la retraite l'an prochain et je vais cultiver du sorgho.

— J'espère qu'il poussera bien, dit Mma Ramotswe.

— Vous êtes très aimable, Mma. Merci.

Ils se dirent au revoir et Mma Ramotswe raccrocha avec un sourire. Malgré tout, malgré cette multitude de changements et toute la confusion et l'incertitude que ceux-ci véhiculaient, malgré cette négligence qui entachait de plus en plus les relations entre les gens, il restait encore des individus qui parlaient avec la courtoisie appropriée, qui traitaient des inconnus d'une manière qui s'accordait avec les préceptes de la vieille morale botswanaise. Et lorsque cela se produisait, quand on était témoin d'un tel comportement, on pouvait se dire que, finalement, tout n'était pas perdu.

Sa prochaine tâche serait non pas un coup de téléphone, mais une visite. Elle connaissait le bureau qui gérait les pensions et elle s'y rendrait pour découvrir si Mma Tsolamosese recevait encore la sienne. Si oui, il faudrait obtenir son adresse. Cela s'annonçait difficile, mais pas impossible. Dans l'administration, la tendance voulait que la moindre donnée soit traitée comme confidentielle, même quand il n'y avait aucune raison à cela. Cependant, Mma Ramotswe avait déjà expérimenté certains moyens de contourner cet obstacle.

Lorsqu'elle arriva, peu après l'heure du déjeuner, le bureau des pensions était encore fermé. Mma Ramotswe se réfugia à l'ombre d'un arbre tout proche et attendit.

Bientôt, un employé à l'air somnolent ouvrit la porte et jeta un coup d'œil à l'extérieur.

Le bureau dans lequel on la fit entrer avait l'aspect et l'odeur propres aux administrations. Les meubles étaient exclusivement fonctionnels — chaises simples à dossier droit, bureaux à deux tiroirs. Sur le mur du fond était accrochée la photographie de Son Excellence, le président de la République du Botswana, et sur les autres, une carte du pays, divisée en districts administratifs, un calendrier fourni par la *Botswana Gazette* et un tableau encadré, criblé de traces de mouches, qui représentait du bétail assemblé autour d'un abreuvoir.

L'employé assis derrière le bureau posa sur Mma Ramotswe un regard las.

— Je suis à la recherche de la veuve d'un fonctionnaire, expliqua-t-elle en remarquant le col sale de la chemise de l'homme.

Ce garçon n'ira pas très loin dans la hiérarchie, pensa-t-elle. En général, les fonctionnaires soignaient leur apparence, dont ils étaient fiers, mais celui-là dérogeait à la règle.

— Nom ? lança-t-il.

— Le mien ?

— Nom du fonctionnaire.

Mma Ramotswe avait inscrit celui-ci sur une feuille de papier, qu'elle tendit à l'employé. Au-dessous, elle avait écrit : *Administration pénitentiaire*, ainsi que la date du décès de Mr. Tsolamosese.

L'homme regarda la feuille, puis disparut dans une salle tout en longueur aux étagères encombrées de dossiers. Mma Ramotswe le vit longer lentement les archives, puis s'arrêter soudain, extraire un dossier et consulter les documents qu'il renfermait. Puis il revint dans le bureau.

— Oui, dit-il. Il y a bien une veuve de ce nom. Elle reçoit une pension de l'administration pénitentiaire.

Mma Ramotswe sourit.

— Je vous remercie, Rra. Pourriez-vous me donner son adresse ? J'ai quelque chose à lui remettre.

L'employé secoua la tête.

— Non, je ne peux pas. Les données sur les allocataires sont confidentielles. Il n'est pas question que le monde entier défile chez nous pour nous demander où habite Untel ou Unetelle. Ce n'est pas tolérable.

Mma Ramotswe prit une profonde inspiration. C'était exactement ce qu'elle redoutait. Il faudrait désormais opérer avec une prudence extrême. Cet employé manquait d'intelligence et les individus comme lui pouvaient manifester une ténacité remarquable quand il était question de règlement. Étant incapables de faire la différence entre les requêtes justifiées et les autres, ils préféraient généralement refuser tout net la moindre dérogation au règlement, et il était alors inutile de chercher à leur faire entendre raison. La meilleure tactique consistait donc à ébranler leurs certitudes concernant la règle. Si l'on parvenait à les convaincre que celle-ci n'était pas ce qu'ils croyaient, il devenait peut-être possible d'en obtenir quelque chose. Cependant, la tâche était délicate.

— Mais ce n'est pas ce que stipule le règlement, affirma Mma Ramotswe. Je ne me permettrais jamais de vous apprendre votre métier — un homme intelligent comme vous n'a pas besoin qu'une femme lui explique comment faire son travail —, mais il me semble que vous interprétez mal ce que dit le règlement. Le règlement dit que vous n'avez pas le droit de donner le nom d'un allocataire. Il ne mentionne rien concernant l'adresse. L'adresse, vous pouvez la donner sans problème.

L'employé secoua la tête.

— Je ne crois pas que vous puissiez avoir raison, Mma. C'est moi qui connais le règlement. Vous, vous êtes le public.

— Oui, Rra. Je suis sûre que vous êtes très fort en matière de règlement. J'en suis certaine. Mais parfois, quand on doit connaître beaucoup de règles, il arrive qu'on les mélange. Vous, c'est à l'article 25 que vous pensez. Or, il s'agit en réalité de l'article 24b, alinéa i. C'est à cette règle que vous faites allusion, celle qui stipule qu'aucun nom d'allocataire ne peut être communiqué, mais qui ne parle absolument pas des adresses. La règle où il est question des adresses est l'article 18, qui a désormais été abrogé.

L'employé se balança d'un pied sur l'autre. Il se sentait mal à l'aise et ne savait pas très bien ce qu'il devait faire de cette femme qui lui donnait des numéros d'articles. Les règles portaient donc des numéros ? Personne ne lui en avait jamais parlé, mais c'était tout à fait possible.

— Comment connaissez-vous ces règles ? interrogea-t-il. Qui vous en a parlé ?

— Vous n'avez pas lu la *Gazette du Gouvernement* ? s'étonna Mma Ramotswe. Les règlements y sont généralement publiés, pour que tout le monde puisse les voir. Tout le monde a le droit de les connaître, puisqu'ils visent à protéger le public, Rra. C'est très important.

L'employé ne dit rien. Il se mordait les lèvres à présent. Mma Ramotswe le vit lancer un bref coup d'œil par-dessus son épaule.

— Bien sûr, reprit-elle, si vous n'êtes pas assez expérimenté pour traiter ces questions, je serais heureuse de m'adresser à quelqu'un de plus compétent. Peut-être y a-t-il, dans un autre bureau, une personne assez qualifiée pour connaître ces règles ?

L'employé plissa les yeux et Mma Ramotswe comprit qu'elle ne s'était pas trompée : s'il appelait quelqu'un en renfort, il perdrait la face.

— Je suis tout à fait qualifié, déclara-t-il avec hauteur. Et ce que vous dites des règles est tout à fait vrai. Je voulais juste voir si vous étiez bien informée. Je suis très heureux que vous le soyez. Si plus de membres du public connaissaient ces règles, notre travail serait beaucoup plus facile.

— Vous faites très bien votre travail, Rra, le félicita Mma Ramotswe. Je suis ravie d'avoir eu affaire à vous. Un employé moins expérimenté n'aurait rien su de ces règles.

L'employé hocha la tête d'un air solennel.

— Oui, dit-il. Enfin, voilà l'adresse de la dame que vous cherchez. Je vais vous l'écrire. C'est un petit village sur la route de Lobatse. Vous le connaissez peut-être. C'est là qu'elle vit.

Mma Ramotswe prit la feuille de papier des mains de l'employé et la glissa dans la poche de sa robe. Puis, après l'avoir remercié pour son aide, elle sortit en songeant qu'en fin de compte la bureaucratie représentait rarement un obstacle si on lui appliquait des notions de psychologie élémentaire, des notions que Mma Ramotswe avait toujours possédées en abondance.

CHAPITRE X

L'École de dactylographie pour hommes du Kalahari ouvre ses portes (aux hommes)

En regardant en arrière, comme elle le ferait plus tard, Mma Makutsi, assistante-détective à l'Agence N° 1 des Dames Détectives et ex-directrice par intérim du Tlokweng Road Speedy Motors, s'émerveillerait de la facilité avec laquelle son école avait vu le jour. Si toutes les créations d'entreprises se révélaient aussi aisées, songerait-elle, la route vers la ploutocratie serait un jeu d'enfant. Pourquoi les choses avaient-elles été aussi simples et sans douleur ? Les réponses à cette question auraient pu fournir le plan d'une dissertation de stratégie commerciale : bonne idée de départ, créneau encore inexploité, investissements réduits et, ce qui est sans doute le plus important, volonté de travailler dur. Tout cela était présent en abondance dans le cas de l'École de dactylographie pour hommes du Kalahari.

La tâche la plus simple — mais qui aurait pu se révéler la plus ardue — avait été de trouver des locaux. C'était le plus jeune des apprentis qui, très vite, avait résolu ce problème en proposant de demander à son pasteur l'autorisation d'utiliser la salle de réunion attenante à l'église.

— Personne ne s'en sert pendant la semaine, expliqua-t-il. Et le pasteur nous dit toujours qu'il faut savoir partager. C'est une chance pour nous de pouvoir mettre nos principes en pratique.

Le pasteur se laissa convaincre, à la condition que des brochures religieuses soient laissées dans la salle, afin de donner aux étudiants une chance d'être sauvés.

— Il y aura de nombreux pécheurs qui voudront apprendre à taper à la machine, dit-il. Ils verront les brochures et certains d'entre eux comprendront qu'ils ont péché.

Mma Makutsi donna aussitôt son accord et emporta les machines, en état de marche pour la plupart, même si, sur certaines, une ou deux touches ne fonctionnaient pas, dans la salle paroissiale, où elles furent mises à l'abri dans deux buffets fermés à clé. Il y avait déjà des tables et des chaises dans la salle, qui pouvait accueillir jusqu'à trente personnes assises, mais l'effectif des élèves ne dépasserait pas dix, chiffre qui correspondait au nombre de machines utilisables.

Tout fut prêt en quelques jours. Une petite annonce avait été insérée dans le *Botswana Daily News*, formulée de manière à attirer exactement le public que Mma Makutsi avait en tête.

> *Messieurs : savez-vous qu'il est très important, de nos jours, de savoir taper correctement à la machine ? Si vous n'avez pas appris, vous serez très vite débordés. Dans notre monde moderne, il n'y a pas de place pour les gens qui ne connaissent pas la dactylographie. Vous pou-*

vez désormais apprendre, dans un cadre très confidentiel, à l'École de dactylographie pour hommes du Kalahari, sous la supervision de Mma Grace Makutsi, Sec. Dip. (magna cum laude) (Inst. de sec. du Bw).

Les personnes intéressées devaient composer le numéro de téléphone de l'Agence N° 1 des Dames Détectives et demander le Département de dactylographie.

Le jour de la parution de l'annonce, Mma Makutsi arriva à l'agence plus tôt que d'habitude. Elle avait obtenu de l'imprimeur un exemplaire du journal avant sa mise en vente et avait lu et relu le texte de l'annonce. Elle éprouvait un plaisir considérable à voir son propre nom imprimé. C'était la première fois que cela lui arrivait et elle resta un bon moment à le contempler, se répétant : C'est moi, c'est mon nom, imprimé, dans le journal, moi…

Le premier appel arriva au bout d'une demi-heure et d'autres lui succédèrent tout au long de la journée. À quatre heures de l'après-midi, il y avait vingt-deux réservations fermes. Les dix premiers élèves commenceraient cette semaine et dix autres seraient admis à la deuxième session, qui débuterait deux mois plus tard. Les deux derniers furent inscrits sur liste d'attente.

Mma Ramotswe partagea la joie de Mma Makutsi.

— Vous aviez raison, déclara-t-elle. Il doit y en avoir beaucoup, des hommes qui aimeraient savoir taper à la machine ! C'est bien triste…

— Je vous avais dit que ça marcherait ! s'exclama Mr. J.L.B. Matekoni. Je vous l'avais dit !

Le premier cours eut lieu un mercredi soir. Mma Ramotswe avait donné son après-midi à Mma Makutsi afin que celle-ci puisse se préparer et Mma Makutsi avait exploité ce temps pour poser quelques feuilles blanches sur chaque table et distribuer le livret d'exercices qu'elle avait élaboré elle-même et dupliqué. Sur un tableau noir de fortune placé à une extrémité de la salle, elle avait dessiné, à la craie, la disposition du clavier et partagé ce dernier au moyen de traits ondulés, de manière à identifier le domaine de chaque doigt. Il s'agissait là de la connaissance de base de tout dactylographe, pierre angulaire de cet art qui enverrait les doigts courir à travers le clavier et les lettres rebondir contre le cylindre.

Il n'y avait jamais eu le moindre doute concernant la philosophie pédagogique qui sous-tendrait les efforts de l'École de dactylographie pour hommes du Kalahari. Ce serait la même que celle de l'Institut de secrétariat du Botswana, qui considérait que chaque doigt devait connaître sa place. Il n'y aurait pas de raccourci, aucune dérive autorisant le moindre laisser-aller dans ce domaine. L'auriculaire gauche devait *penser* « q », le pouce devait *penser* « barre d'espacement ». C'était ainsi que l'Institut de secrétariat du Botswana formulait les choses et Mma Makutsi n'avait jamais entendu philosophie de la dactylographie exprimée sous forme plus condensée et plus vraie.

Sur la base de ce positionnement instinctif des doigts, les élèves apprendraient, à force de répétition, à enjamber le fossé qui existait entre la perception du mot à taper (ou ce qu'on en imaginait) et le mouvement des muscles. Cela ne pouvait s'acquérir qu'à travers la pratique et l'exécution assidue d'exercices. En quelques semaines, pour peu que l'élève possède un minimum d'aptitude, les mots pourraient être tapés lentement, mais sûrement, même si l'on tenait compte du fait que les doigts des hommes étaient plus épais et plus gauches.

Le cours commençait à six heures, ce qui laissait aux élèves le temps de se rendre à la salle paroissiale en sortant de leur travail. Bien avant l'heure prévue toutefois, la classe fut au complet et Mma Makutsi se trouva confrontée à dix visages interrogateurs. Elle consulta sa montre, compta les élèves et annonça que la leçon allait débuter.

L'heure passa vite. Les élèves apprirent à insérer les feuilles dans la machine et à se familiariser avec les fonctions des différentes touches. Puis on leur demanda de taper, à l'unisson et au moment où Mma Makutsi l'ordonnerait, le mot *pas*.

— Tous ensemble ! lança Mma Makutsi. *P* et *a* et *s*. Maintenant, arrêtez-vous.

Une main se leva.

— Mon *s* ne fonctionne pas, Mma, dit un homme élégamment vêtu à l'air perplexe. J'ai appuyé deux fois sur la touche, mais ça n'a pas marché. Du coup, j'ai tapé *pa*.

Mma Makutsi s'était préparée à cela.

— Certaines touches ne sont pas en état de marche, en effet, répondit-elle. Cela n'a aucune importance. Tapez-les malgré tout, parce qu'une fois dans vos bureaux vous découvrirez qu'elles fonctionnent. Pour le moment, ce n'est pas grave.

Elle regarda l'homme, qui avait une moustache bien taillée et des cheveux séparés en leur milieu par une raie très nette. Il lui souriait, les lèvres entrouvertes, comme s'il s'apprêtait à dire quelque chose. Mais il demeura silencieux et ils passèrent à d'autres mots, nouveaux, mais aussi simples.

— *Tas !* cria Mma Makutsi. Et *cas*. *Pas tas cas*.

À la fin de l'heure, Mma Makutsi passa entre les tables pour corriger les exercices. À l'Institut de secrétariat du Botswana, elle avait appris l'importance des encouragements et elle prit soin d'adresser un compliment à chaque élève.

— Vous serez un très bon dactylographe, Rra, disait-elle. Vous avez une bonne maîtrise de vos doigts.

Ou bien :

— Vous avez tapé *cas* très distinctement. C'est parfait.

Une fois le cours terminé, les élèves sortirent en discutant avec enthousiasme. Une remarque que fit l'un d'eux parvint aux oreilles de Mma Makutsi, restée dans la salle pour ranger :

— Cette femme est un excellent professeur, disait l'homme. Avec elle, on n'a pas l'impression d'être un imbécile. Elle connaît bien son métier.

Elle sourit. Elle avait adoré donner ce cours et s'était découvert un nouveau talent : celui d'enseignante. Et puis, ce qui comptait plus encore, elle avait, dans la petite boîte posée sur son bureau, la première semaine des frais de scolarité, une pile de billets de la Banque du Botswana. C'était une somme confortable, sur laquelle il n'y avait presque rien à payer. Cet argent lui appartenait, elle pouvait en faire ce que bon lui semblerait, même si elle avait prévu d'en donner une petite partie à Mma Ramotswe pour couvrir le coût du téléphone et la remercier de son implication dans l'entreprise. Ensuite, elle placerait le reste sur son compte de caisse d'épargne. Les jours de vaches maigres appartenaient au passé.

Après avoir fermé la salle, elle glissa la boîte dans son sac et prit le chemin du retour. C'était une route de terre battue bordée de petites maisons. Par les fenêtres éclairées, on apercevait des scènes de la vie quotidienne. Des enfants assis à table, le dos bien droit, attentifs, d'autres qui contemplaient le plafond. Des parents qui servaient le dîner dans des bols. Des ampoules électriques nues dans certaines pièces, des abat-jour colorés dans d'autres. De la musique s'échappait des cuisines, une petite fille était assise sur un perron et chantait une chanson qui évoqua sa propre enfance à Mma Makutsi et qui la fit s'arrêter un moment, dans l'ombre, et se souvenir.

CHAPITRE XI

Mma Ramotswe se rend dans un village, au sud de Gaborone

Elle partit au volant de la petite fourgonnette blanche. Le soleil matinal entrait à flots par la vitre ouverte, la chaleur de l'air caressait la peau de Mma Ramotswe, les arbres gris-vert, l'herbe brunissante et les plaines défilaient de chaque côté de la route. Il n'y avait guère de circulation : une camionnette de temps à autre, des minibus bondés qui bringuebalaient sur leurs mauvaises suspensions, un camion transportant des militaires en uniforme vert qui se mettaient à crier chaque fois qu'ils voyaient une fille au bord de la route, des voitures particulières qui fonçaient vers Lobatse, ou au-delà, où leurs propriétaires vaqueraient à des occupations diverses. Mma Ramotswe aimait la route de Lobatse. Au Botswana, les trajets semblaient souvent interminables, comme celui qui menait à Francistown, par exemple, avec sa route désespérément rectiligne. Lobatse, au contraire, n'était qu'à un peu plus d'une heure et il y avait toujours assez d'animation en chemin pour tromper l'ennui.

Les routes, pensait Mma Ramotswe, constituent la vitrine du pays. La façon dont les gens se comportaient sur les routes révélait tout ce qu'il fallait connaître sur le caractère national. Au Swaziland, où elle avait eu le malheur de s'aventurer une fois dans sa vie et dont elle avait gardé un souvenir épouvanté, le danger était présent partout, entre les conducteurs qui doublaient du mauvais côté et ceux qui ne respectaient pas les limites de vitesse. Là-bas, même le bétail faisait preuve d'une folle imprudence. On aurait dit que certaines bêtes se jetaient délibérément devant les voitures pour provoquer la collision, défiant les conducteurs au dernier moment. Tout cela parce que les Swazi formaient un peuple excité et peu soucieux d'autrui. Ils étaient comme ça et conduisaient comme ça. Les Batswana étaient plus prudents : ils ne jouaient pas les m'as-tu-vu, comme les Swazi tendaient à le faire, et roulaient calmement.

Bien sûr, le bétail restait toujours un problème sur la route, même au Botswana, et l'on ne trouvait personne dans le pays qui n'ait connu quelqu'un — ou connu quelqu'un qui connaissait quelqu'un — qui était un jour entré en collision avec une vache. Un tel accident pouvait se révéler désastreux et, chaque année, des gens étaient tués par des bêtes qui heurtaient leur voiture, empalant parfois le conducteur sur leurs cornes. C'était pour cette raison que Mma Ramotswe détestait conduire de nuit. Lorsqu'elle n'avait pas le choix, elle roulait lentement, scrutant l'obscurité devant elle, prête à freiner net si la forme noire d'une vache ou d'un taureau émergeait brusquement de l'ombre.

La voiture était le lieu idéal pour penser et, tout en conduisant, Mma Ramotswe réfléchissait aux dénouements possibles de sa mission peu commune. Plus elle pensait à Mr. Molefelo, plus elle admirait le courage dont il avait fait preuve en venant la voir. La plupart des gens se souciaient peu de leurs méfaits passés. Beaucoup les oubliaient même, de façon délibérée — si tant est que l'on pût faire un effort délibéré pour oublier — ou en laissant les souvenirs s'estomper tout seuls. Mma Ramotswe s'était demandé si l'on n'avait pas le devoir de garder les souvenirs présents à l'esprit et elle s'était dit que si. Déjà, la tradition voulait que l'on n'oublie pas les défunts. Il existait des rituels à cet effet, qui avaient pour objectif de vous rappeler vos devoirs envers vos grands-parents et vos arrière-grands-parents, et les parents et les grands-parents de ceux-ci aussi. Si on les oubliait, ils risquaient de dépérir, puis de mourir, non pas ici-bas, bien sûr, mais dans ces autres lieux où vivaient les ancêtres : quelque part, là-haut dans l'invisible. La moitié du Botswana pensait cela, l'autre moitié s'en remettait aux enseignements de l'Église, qui disait qu'une fois mort on allait au paradis, si on le méritait, bien sûr, et qu'on y était soigné par des saints et des anges et d'autres êtres du même type. Certains affirmaient qu'il y avait aussi du bétail au paradis, ce qui était sûrement vrai. Du bétail blanc à l'haleine sucrée et aux yeux marron délavé. Des bêtes saintes qui marchaient lentement et permettaient aux enfants — les enfants morts — de monter sur leur dos. Quelle chance pour ces petits qui n'avaient peut-être pas connu leur père et leur mère parce qu'ils étaient partis trop vite ! Quelle consolation ce devait être d'avoir ces bêtes très douces comme compagnes ! À cette pensée, Mma Ramotswe sentit les larmes lui monter aux yeux. Elle avait perdu son bébé, sa petite fille ; où était-elle maintenant ? Elle espérait que l'enfant était heureuse et qu'elle l'attendait, qu'elle attendait ce moment où elle-même quitterait le Botswana pour monter au ciel. Mr. J.L.B. Matekoni se déciderait-il à fixer une date pour le mariage avant ce jour ? Elle le souhaitait de tout cœur, mais il ne semblait vraiment pas pressé. Peut-être pourraient-ils se marier au paradis, s'il continuait à repousser ainsi la décision. Cela coûterait certainement moins cher.

Pour revenir à Mr. Molefelo et à Mma Tsolamosese, il était difficile de prévoir la réaction de cette dernière quand la vérité sur ce qui s'était passé tant d'années auparavant lui serait révélée. Elle se mettrait en colère, c'était sûr, et déciderait peut-être même d'aller déposer plainte à la police. Mr. Molefelo n'avait pas envisagé cette éventualité lorsqu'il avait exprimé son désir de retrouver Mma Tsolamosese. Il était persuadé que l'affaire se réglerait à l'amiable, mais si Mma Tsolamosese portait plainte au commissariat local, la police se sentirait sans doute obligée de soumettre l'affaire aux tribunaux. Ce serait certes surprenant, après toutes ces années, mais Mma Ramotswe ne voyait pas quel article du Code pénal du Botswana pourrait empêcher quiconque de le faire. Certes, elle n'avait pas lu le Code pénal dans son intégralité. Elle ne l'avait même pas lu du tout, mais on pouvait se le procurer à l'Imprimerie nationale moyennant quelques pula. Il lui était déjà arrivé de tomber sur un exemplaire ici ou là et, un jour, elle en avait feuilleté un, mais ce que le Code cherchait à dire ne lui était pas apparu d'emblée. C'était le problème, avec les lois et le langage juridique. Ils utilisaient des formulations que peu de gens, en dehors des hommes de loi, comprenaient. Les Codes pénaux étaient bien jolis, mais elle se demandait s'il ne serait pas plus simple de se fonder sur quelque chose comme les Dix Commandements qui, moyennant quelques petites modernisations, fourniraient une base tout à fait valable de lignes de conduite, du moins de l'avis de Mma Ramotswe. Tout le monde savait qu'il était particulièrement mal de tuer. Tout le monde savait qu'il était mal de voler. Tout le monde savait qu'il était mal de commettre l'adultère et de convoiter les biens de son voisin... Elle hésita. Non, tout le monde ne le savait pas. Les gens ne le savaient pas du tout, ou, plutôt, ils ne le savaient plus. Il existait des enfants, d'horribles enfants effrontés, que l'on élevait en faisant tinter à leurs oreilles des messages contraires à ceux-là, et là était le problème, pensa-t-elle sombrement. Les gens étaient tout à fait prêts à abandonner leur femme ou leur mari lorsqu'ils s'en lassaient. S'ils se réveillaient un jour en songeant qu'ils pouvaient trouver quelqu'un de plus excitant que la personne qui partageait leur vie, ils partaient ! Comme ça, tout simplement ! Et l'on pouvait même aller plus loin, n'est-ce pas, en laissant tomber toutes sortes de gens. Si vous décidiez que vos parents commençaient à vous ennuyer, vous partiez ! Idem pour les amis. Ceux-ci devenaient parfois trop exigeants et, dans ce cas, il suffisait de partir. D'où provenaient ces nouvelles mentalités ? se demanda-t-elle. Elles n'étaient pas africaines et n'avaient évidemment rien à voir avec la vieille morale du Botswana. Elles devaient donc venir d'ailleurs.

Mma Ramotswe recentra une nouvelle fois ses pensées sur Mma Tsolamosese. Elle espéra que celle-ci ne serait pas tentée de remuer ces braises très anciennes en prévenant la police. Dans ce cas, elle l'informerait que Mr. Molefelo souhaitait s'excuser et lui acheter un nouveau poste de radio. Ils n'avaient pas évoqué les termes précis du dédommagement, mais il avait affirmé que l'argent ne serait pas un problème.

— Je paierai ce qu'il faut, avait-il dit. Ma conscience compte plus que l'argent à mes yeux. On peut obtenir tout l'argent que l'on veut à la banque, mais pas la paix de l'esprit.

Bon, elle verrait bien ce qui se passerait et agirait en conséquence. Il n'y en avait plus pour très longtemps à présent. Elle apercevait déjà la bifurcation vers le village, mal indiquée, et la route cahoteuse qu'il faudrait négocier pour atteindre le haut de la colline où se trouvait la maison de Mma Tsolamosese qui, si les indications obtenues se révélaient correctes, se situait à l'entrée de l'agglomération.

Une vieille femme était assise sur un tabouret devant la maison, en train de piler du grain dans un mortier en bois traditionnel. Elle s'interrompit lorsque la petite fourgonnette blanche s'immobilisa et se leva pour accueillir Mma Ramotswe.

Elles échangèrent les salutations de rigueur.

— *Dumela*, Mma, dit Mma Ramotswe. Avez-vous bien dormi ?

— Oui, Mma. J'ai bien dormi.

Mma Ramotswe se présenta et demanda à la femme si elle était bien Mma Tsolamosese.

La femme sourit. Elle avait une expression agréable et ouverte et Mma Ramotswe la prit aussitôt en sympathie.

— Oui, je suis Mma Tsolamosese. C'est ma maison.

Elle invita la visiteuse à s'asseoir sur une chaise de bois garnie de bandes de cuir. Celle-ci n'avait pas l'air solide, mais Mma Ramotswe savait que ces sièges traditionnels étaient bien conçus et pouvaient supporter son poids. La femme disparut ensuite à l'intérieur, pour revenir avec une tasse d'eau, qu'elle lui tendit. Mma Ramotswe l'accepta avec reconnaissance.

La maison était de taille moyenne pour un village comme celui-ci. Elle était carrée, avec un toit de chaume et des murs de boue séchée d'une belle couleur ocre. La porte d'entrée était peinte en blanc, mais le bas avait été griffé par un chien. De l'intérieur, qui était sombre, leur parvenaient des voix de fillettes.

— Il y a deux enfants qui habitent ici avec moi, expliqua Mma Tsolamosese : la fille d'un de mes fils, dont la femme est partie soigner sa mère à Shashe, et la fille de ma fille, qui est décédée. Je m'occupe de ces deux enfants.

— C'est le rôle de beaucoup de femmes, commenta Mma Ramotswe. Des enfants, et encore des enfants, tout le temps et jusqu'à notre mort. Il semble que nous autres femmes nous soyons là pour cela.

Mma Tsolamosese acquiesça. Elle étudiait Mma Ramotswe avec attention. Son regard intelligent passa du visage de la visiteuse à ses vêtements, puis elle se tourna vers la petite fourgonnette blanche et revint à Mma Ramotswe.

— Je me suis occupée d'enfants toute ma vie, déclara-t-elle. Cela a commencé quand j'avais quatorze ans et que je devais surveiller la fille de ma grande sœur. Cela a continué quand j'ai eu moi-même des enfants, et maintenant que je suis grand-mère, la tâche n'est pas terminée.

Elle s'interrompit un instant, avant de poursuivre :

— Mais pourquoi êtes-vous venue ici, Mma ? Cela me fait plaisir de vous rencontrer, mais je me demande pourquoi vous êtes là.

Mma Ramotswe se mit à rire.

— Je n'ai pas fait toute cette route pour bavarder d'enfants avec vous, en effet, avoua-t-elle. Je suis venue pour vous parler d'une chose qui s'est produite il y a très longtemps.

Mma Tsolamosese ouvrit la bouche pour répondre, mais se ravisa. Si elle était perplexe et curieuse d'en savoir plus, elle attendrait néanmoins que la visiteuse s'explique d'elle-même.

— Je crois que votre défunt mari était fonctionnaire dans l'administration pénitentiaire, commença Mma Ramotswe.

— Oui, répondit Mma Tsolamosese. C'était un bon mari. Il y a travaillé pendant des années et il avait un bon poste. Grâce à lui, je touche une pension.

— Vous viviez près de l'ancien aérodrome de Gaborone, c'est bien ça ? poursuivit Mma Ramotswe. Et vous louiez une chambre de votre maison à des étudiants ?

— Nous avons toujours fait ça, acquiesça Mma Tsolamosese. Cela arrondissait nos fins de mois, même si le loyer que pouvaient verser ces jeunes était modeste.

— Vous avez eu chez vous un garçon qui s'appelait Molefelo, reprit Mma Ramotswe. Il étudiait à l'Institut de technologie du Botswana. Vous vous souvenez de lui ?

Mma Tsolamosese sourit.

— Très bien. C'était un bon garçon. Très propre.

Mma Ramotswe hésita. La tâche n'allait pas être facile. Même avec le recul du temps, c'était une trahison de taille qu'elle était venue révéler. Cependant, elle devait le faire. Annoncer les mauvaises nouvelles faisait partie de son travail.

— Lorsqu'il demeurait chez vous, déclara-t-elle sans quitter Mma Tsolamosese des yeux, il y a eu un vol. Un homme a forcé votre fenêtre et vous a pris une radio. C'est bien ça ?

Mma Tsolamosese fronça les sourcils.

— Oui, c'est vrai. Ce n'est pas le genre de chose qu'on oublie. C'était une très bonne radio.

Mma Ramotswe prit une profonde inspiration. Il fallait continuer.

— C'est Molefelo qui l'a prise, déclara-t-elle. C'est lui qui a volé votre radio.

Tout d'abord, Mma Tsolamosese parut déconcertée. Puis elle tendit la main vers le mortier et plongea les doigts dans la farine de maïs.

— Mais non, dit-elle, ce n'est pas lui. Il vivait chez nous quand c'est arrivé. Vous vous trompez. C'est quelqu'un d'autre qui a volé la radio. Un prisonnier, je pense. Il est toujours dangereux d'habiter près d'une prison.

— Non, Mma, insista Mma Ramotswe d'une voix douce. Ce n'était pas un prisonnier. C'était Molefelo. Il avait un besoin urgent d'argent pour… pour quelque chose qu'il devait faire. Alors il a volé la radio et il a maquillé cela en cambriolage. Il l'a ensuite revendue cent pula à un homme près de la gare. Voilà ce qui s'est passé.

Mma Tsolamosese releva brutalement la tête.

— Comment le savez-vous, Mma ? Comment pouvez-vous en parler alors que vous n'étiez même pas présente ?

Mma Ramotswe soupira.

— Parce qu'il me l'a dit lui-même. Molefelo. Il a mauvaise conscience, il se sent mal depuis des années à cause de cette histoire et, aujourd'hui, il veut venir s'excuser auprès de vous. Il voudrait aussi vous acheter une nouvelle radio. Vous dédommager.

— Je ne veux pas de radio, rétorqua Mma Tsolamosese. Je n'aime pas la musique qu'on passe tout le temps de nos jours. Boum, boum, boum… Il n'y a plus de bonne musique.

— C'est important pour lui, insista Mma Ramotswe.

Elle marqua un temps d'arrêt.

— Ne vous est-il jamais arrivé de faire quelque chose de mal, Mma ?

Mma Tsolamosese la dévisagea.

— Cela arrive à tout le monde au cours de la vie…

— Oui, approuva Mma Ramotswe. Cela arrive à tout le monde. Mais n'avez-vous jamais eu envie de réparer le mal que vous aviez fait ? Ne vous rappelez-vous pas avoir eu ce désir ?

Le silence s'installa entre les deux femmes. Mma Tsolamosese avait détourné le regard et contemplait les collines, au loin. Assise sur son tabouret, elle se tenait les genoux. Lorsqu'elle répondit, sa voix était faible.

— Si, je me rappelle.

Mma Ramotswe ne perdit pas de temps.

— Eh bien, voilà ce que ressent Molefelo en ce moment. Ne voulez-vous pas lui donner une chance de vous demander pardon ?

La réponse ne fut pas immédiate, mais elle vint.

— Si, dit Mma Tsolamosese. Cela s'est passé il y a longtemps. C'est bien qu'il y pense encore aujourd'hui. Je ne veux pas prolonger la souffrance de son cœur.

— Vous avez raison, Mma, acquiesça Mma Ramotswe. En acceptant, vous ne pouvez pas mieux agir.

Elles restèrent assises dans la lumière du jour. Il y avait des haricots à écosser et Mma Ramotswe s'en chargea, pendant que Mma Tsolamosese continuait à broyer son grain, une main sur le pilon, l'autre au bord du mortier de bois. Elles avaient bu une tasse de thé abondamment sucré et se sentaient bien en compagnie l'une de l'autre. Mma Tsolamosese était désormais heureuse de recevoir bientôt des excuses et elle avait accepté que Mma Ramotswe lui amène Molefelo.

— Il était très jeune à l'époque, dit-elle. Ce qu'il a fait alors ne concerne pas l'homme qu'il est devenu.

— C'est vrai, dit Mma Ramotswe. Il n'est plus le même homme.

Une adolescente vêtue d'une robe verte fatiguée apparut soudain à la porte, pieds nus, et fit une petite révérence à Mma Ramotswe.

— C'est la fille de mon fils, expliqua Mma Tsolamosese. Elle m'aide beaucoup pour la petite. Amène-la dehors, Koketso. Amène-là pour qu'elle voie Mma.

La jeune fille retourna dans la maison et revint, chargée d'une fillette de deux ans, qu'elle déposa par terre. Une fois l'enfant sur ses pieds, elle lui tint la main pour l'aider à faire quelques pas hésitants.

— C'est la fille de la fille que j'ai perdue, déclara Mma Tsolamosese. Je m'en occupe, comme je vous l'ai dit.

Mma Ramotswe se pencha et prit la main de la fillette dans la sienne.

— C'est une très jolie petite fille, Mma, dit-elle. Elle deviendra une très belle femme.

Mma Tsolamosese la regarda un instant, puis détourna la tête. Mma Ramotswe pensa qu'elle l'avait offensée, mais ne parvint pas à comprendre de quelle façon. Il était tout à fait courtois de complimenter une grand-mère sur la beauté de sa petite-fille. Ne pas le faire eût même dénoté de la froideur.

— Fais-la rentrer, Koketso, ordonna Mma Tsolamosese. Elle doit avoir faim. Il y a de la bouillie près du poêle. Tu peux lui en donner.

L'adolescente prit l'enfant et battit en retraite dans la maison. Mma Ramotswe continua à écosser les haricots, mais risqua un coup d'œil à Mma Tsolamosese, qui s'était remise à piler le maïs.

— Je suis désolée si je vous ai peinée, dit-elle. Ce n'était vraiment pas mon intention.

Mma Tsolamosese lâcha son pilon. Sa voix, quand elle parla, trahissait une grande lassitude.

— Ce n'est pas votre faute, Mma. Vous ne pouvez pas savoir. Cette petite fille… Sa mère est morte de cette maladie qui court à travers tout le pays, et partout ailleurs. Voilà ce qui l'a tuée. Et sa fille…

Mma Ramotswe avait deviné la suite.

— Le docteur dit que sa fille tombera malade elle aussi, tôt ou tard. Elle ne vivra pas. Voilà pourquoi j'ai eu de la peine quand vous avez dit ça. Vous ne l'avez pas fait exprès, mais vous avez parlé de quelque chose qui n'arrivera jamais.

Mma Ramotswe repoussa le bol de haricots et s'approcha de Mma Tsolamosese, qu'elle entoura de son bras.

— Je suis désolée, Mma, murmura-t-elle. Je suis vraiment, vraiment désolée…

Il n'y avait rien d'autre à ajouter, mais tandis qu'elle demeurait là, partageant ce moment de souffrance intime, elle sut ce que Mr. Molefelo allait pouvoir faire.

CHAPITRE XII

Miracle au Tlokweng Road Speedy Motors

Les élèves de l'École de dactylographie pour hommes du Kalahari se retrouvaient dans la salle paroissiale tous les soirs de la semaine, sauf le vendredi. Leurs progrès étaient rapides, au point que Mma Makutsi dut réviser son estimation du temps nécessaire pour faire de ces hommes des dactylographes efficaces. Elle put ainsi leur annoncer que le cours durerait cinq semaines au lieu de six.

— Vous obtiendrez le même diplôme, déclara-t-elle tout en songeant qu'elle devrait réfléchir à la mise au point de certificats de fin d'études. Ce sera la même formation, mais vous l'aurez achevée une semaine plus tôt que prévu.

— Allons-nous récupérer une partie du prix du cours ? demanda l'un des hommes.

La question déclencha des rires.

— Non, répondit Mma Makutsi. Absolument pas. Vous aurez acquis la même quantité de connaissances. Le coût restera donc le même. C'est tout à fait normal.

Ils parurent accepter cette décision sans rechigner et, soulagée, elle passa à l'exercice suivant. Pour changer des textes à recopier, elle les invita à composer un court essai durant la demi-heure restante. Le texte ne devrait pas excéder une demi-page, mais il faudrait veiller à faire le moins de fautes possible. La meilleure note serait cinquante pour un essai parfait et l'on compterait deux points par faute. Elle annonça le thème du devoir : « Les choses importantes de ma vie », ajoutant que chacun écrirait de manière anonyme afin de se sentir plus libre : les gens pourraient exposer ce qui comptait vraiment pour eux sans craindre d'être jugés.

Ce sujet n'était pas une idée originale : elle l'avait elle-même traité à l'école, ce qui lui avait valu un premier prix, et il lui était resté comme le modèle du sujet parfait. Personne ne se retrouverait bloqué devant la feuille blanche en se demandant quoi écrire : chacun avait dans la vie au moins une chose qui l'intéressait.

Les élèves se mirent au travail avec vigueur. À la fin du cours, ils laissèrent leur devoir sur la table et Mma Makutsi ramassa les copies. Elle avait eu l'intention de les emporter chez elle pour les corriger à tête reposée, mais un coup d'œil à la première l'absorba à tel point qu'elle s'assit à son bureau et finit par toutes les lire. Tout ce qui constituait la vie s'étalait là, sous ses yeux : les mères, les épouses, les équipes de football, les ambitions professionnelles, les voitures adorées… Tout ce que les hommes aimaient.

Cet essai-là lui parut caractéristique : « Il y a beaucoup de choses que je trouve importantes dans la vie et il m'est difficile de choisir, mais je pense que l'équipe de football des Zebras compte beaucoup pour moi. Depuis tout petit, je rêve de jouer chez les Zebras, mais je n'ai jamais été assez doué pour cela. Alors je les regarde des tribunes et je crie très fort pour les aider à gagner. Quand cela arrive, je suis très heureux et je passe la nuit à célébrer la victoire avec mes amis, qui sont aussi des fans des Zebras. Je ne peux pas imaginer le Botswana sans les Zebras. Ce ne serait pas le même pays et nous aurions tous l'impression qu'il manque quelque chose à notre vie. »

La frappe était presque parfaite et Mma Makutsi fut impressionnée par la clarté de l'expression. « Le lecteur, écrivit-elle dans la marge, n'a plus le moindre doute sur l'importance des Zebras dans votre vie. » Elle parcourut ainsi le reste des devoirs ; il y avait un autre hymne de louanges aux Zebras et un hommage touchant à un jeune fils et à ses prouesses. Puis, presque au bas de la pile, elle trouva le texte suivant :

« Je viens de découvrir quelque chose de très important dans ma vie. Je ne m'y attendais pas, c'est arrivé brusquement, comme un éclair dans le ciel. Je n'ai jamais eu une existence très excitante, mais cette chose a tout changé pour moi et, depuis un peu plus d'une semaine, mon cœur bat beaucoup plus vite qu'avant. C'est une dame que j'ai rencontrée. C'est l'une des plus belles femmes que j'aie jamais vues et je pense que c'est aussi l'une des plus sympathiques et des plus gentilles du Botswana. Elle me sourit toujours et, pour elle, ce n'est pas grave si je fais des fautes. Elle est passée à côté de moi et a fait chanter mon cœur, mais elle ne le sait pas. Je me demande si je dois lui dire qu'elle remplit mon cœur avec des idées d'amour. Si je lui en parle, elle me répondra peut-être que je ne suis pas assez bien pour elle. Mais si je ne lui dis rien, elle ne saura peut-être jamais ce que je ressens. Elle est la chose la plus importante de ma vie. Je n'arrête pas de penser à elle, même pendant qu'elle m'apprend à taper à la machine. »

Mma Makutsi demeura clouée sur place, comme l'eût fait n'importe qui en découvrant une déclaration d'amour aussi dénuée d'ambiguïté. L'un de ses élèves, l'un de ces messieurs, était amoureux d'elle ! Elle qui pensait que personne ne pourrait jamais l'aimer, elle avait sous ses yeux la preuve qu'un homme avait succombé à ses charmes ! Oh oh oh !

Elle observa le devoir. Bien sûr, aucun nom n'était inscrit, mais l'identité de son auteur ne faisait aucun doute. Le sens du texte l'avait tant absorbée qu'elle n'avait prêté aucune attention à la forme. Or, tous les *s* manquaient. « Elle e t la cho e la plu importante de ma vie. Je n'arrête pa de pen er à elle »...

Le cœur battant, elle saisit son crayon et inscrivit au bas de la feuille : « C'est un devoir très émouvant et très bien dactylographié. Vous devriez cependant parler à cette femme, sinon, elle ne connaîtra peut-être jamais vos sentiments. Vous devriez lui demander de sortir avec vous après le cours. Voilà ce que vous devriez faire. »

Cet après-midi-là, le Tlokweng Road Speedy Motors fut laissé à la garde des deux apprentis. Mr. J.L.B. Matekoni et Mma Ramotswe étaient partis à la ferme des orphelins afin de réparer une pompe — pour ce qui concernait Mr. J.L.B. Matekoni — et de parler à la directrice, Mma Silvia Potokwane — pour ce qui concernait Mma Ramotswe. Mma Makutsi, qui avait droit à trois après-midi de liberté par mois, avait décidé d'aller en ville déposer son argent sur son compte de caisse d'épargne, qui s'était considérablement étoffé grâce aux revenus de l'école de dactylographie, et acheter des chaussures. Sa paire actuelle, avec les boutons rouges brillants sur le dessus, serait déposée chez le cordonnier pour un ressemelage. Elle en avait déjà repéré de superbes dans une vitrine. C'étaient des chaussures vert clair à talons bas (il était très important d'être à l'aise pour marcher ; les talons hauts la tentaient, mais comme toutes les tentations, on les payait plus tard). Au bout était cousu un nœud de cuir, vert également, et l'intérieur était bleu ciel. C'était ce bleu ciel qui l'avait séduite et elle imaginait le plaisir qu'elle éprouverait à glisser les pieds dans un tel environnement chaque matin. Les chaussures coûtaient plus cher que des souliers ordinaires, mais c'était compréhensible avec une telle doublure. Dès qu'elle les avait vues, elle avait su qu'elle devrait les acquérir. Avec elles, la bonne fortune qui était entrée dans sa vie depuis l'ouverture réussie de l'École de dactylographie pour hommes du Kalahari ne pouvait plus l'abandonner. C'étaient en outre des chaussures aptes à donner de l'assurance à leur propriétaire : la personne qui les portait pouvait parler avec autorité.

Les apprentis adoraient rester seuls. Ils avaient promis à Mr. J.L.B. Matekoni de ne fournir aucun devis aux clients susceptibles de se présenter, mais de poursuivre le travail en cours. Le break français couleur de boue stationné devant le garage posait de difficiles problèmes et ils s'activeraient dessus : il fallait réparer les deux portières, qui fermaient mal, et s'occuper du moteur, qui chauffait trop. Ils avaient l'habitude de cette voiture, sur laquelle ils avaient déjà travaillé à deux reprises, et ses problèmes constituaient pour eux une sorte de défi.

— Cette voiture française va vous tenir bien occupés, assura Mr. J.L.B. Matekoni. Mais méfiez-vous d'elle : c'est une menteuse.

— Une menteuse, Rra ? s'étonna le plus jeune des apprentis. Comment une voiture peut-elle mentir ?

— Ses instruments ne disent pas la vérité, expliqua Mr. J.L.B. Matekoni. Vous pouvez les régler autant que vous voulez, ils reviendront toujours à leurs vieilles habitudes. Une voiture qui se comporte ainsi est une menteuse. Vous ne pouvez pas faire grand-chose contre cela.

Laissés seuls, les apprentis se préparèrent du thé et s'assirent sur leurs bidons d'huile pendant une demi-heure. Charlie, l'aîné, appelait toutes les filles qui passaient, les invitant à venir visiter le garage.

— Il se passe plein de choses dans un garage ! criait-il. Allez, viens ! Viens jeter un coup d'œil ! Il y a plein de choses à faire ici pour une fille comme toi !

Le plus jeune des apprentis tentait de regarder ailleurs quand les jeunes filles passaient, mais sans grand succès. S'il ne pouvait résister à l'envie de les détailler des pieds à la tête, il se gardait pourtant de leur adresser la parole. Lorsqu'ils eurent terminé leur thé, ils conduisirent le break français couleur de boue jusqu'au nouveau pont élévateur que Mr. J.L.B. Matekoni venait de faire installer. C'était la première désobéissance, la pomme du jardin d'Éden, car ils avaient reçu des consignes très strictes : la seule personne habilitée à faire fonctionner le pont était Mr. J.L.B. Matekoni lui-même. Mais à présent, devant cette chance de hisser la voiture française en hauteur, ils furent incapables de résister.

Le pont élévateur fonctionna magnifiquement, élevant le véhicule avec une aisance consommée. Puis, soudain, il s'arrêta, le piston d'acier central étincelant d'huile, la voiture perchée en équilibre précaire au-dessus du mécanisme. L'aîné des apprentis appuya sur le bouton pour la faire redescendre, mais rien ne se produisit. Il réessaya, puis tourna le bouton en position arrêt pour le rallumer aussitôt, sans plus de succès.

— Cassé, dit le plus jeune apprenti. C'est ta faute.

Ils allèrent s'asseoir sur leurs bidons d'huile et contemplèrent misérablement la voiture surélevée.

— Qu'est-ce qu'il va dire, Mr. J.L.B. Matekoni ? demanda le plus jeune.

— Il va dire que nous n'avions pas à toucher à ça, répondit l'autre. Moi, je dirai que c'est un accident.

Qu'on a placé la voiture juste au-dessus du pont et que le système s'est mis en marche tout seul. Que nous, on n'a rien touché.

Le jeune apprenti le dévisagea.

— Moi, je n'ai plus le droit de mentir, déclara-t-il. Maintenant que je suis sauvé, je n'ai plus le droit.

L'autre soutint son regard.

— Si c'est comme ça, tu vas nous mettre dans un sale pétrin. Un sale pétrin, vraiment !

Il s'interrompit.

— Si c'est comme ça, reprit-il, je dirai que c'est toi qui as fait ça. Je dirai que c'est toi.

— Tu ne vas pas me faire ça, quand même ! protesta le jeune. Et de toute façon, moi, je dirai la vérité. Le patron, il sait très bien quand on lui ment. Et Mma Ramotswe aussi. Tu ne pourras jamais lui faire croire ce que tu veux.

Il se tut un instant et réfléchit.

— Mais, reprit-il, il y a une chose qu'on peut faire.

— Ah oui ? fit son compagnon, moqueur. Et quoi ?

— Une chose.

Le jeune apprenti se laissa glisser du bidon d'huile et se mit à genoux.

— Ô Seigneur ! Faites redescendre cette voiture, s'il vous plaît.

Il y eut un silence. Dehors, un gros camion passa en faisant grincer sa boîte de vitesses. Une cigale se mit à chanter dans un buisson, et une colombe grise vint se poser brièvement sur un bouquet d'acacias tout proche. La chaleur pesait sur la terre.

Soudain, un sifflement retentit. Les deux garçons levèrent les yeux, surpris. L'air retenu prisonnier dans le système hydraulique commença à s'échapper, faisant redescendre gracieusement la colonne et son chargement jusqu'au sol.

CHAPITRE XIII

Un thé à la ferme des orphelins

Mma Silvia Potokwane dirigeait la ferme des orphelins, située à vingt minutes de route à l'est de Gaborone. Elle travaillait là depuis quinze ans ; elle avait commencé comme directrice adjointe, puis était devenue directrice, et l'on disait qu'elle se rappelait les noms de tous les orphelins qui étaient passés entre ses mains. Cette affirmation n'avait jamais été véritablement mise à l'épreuve, mais chaque fois qu'un membre du personnel demandait par exemple : « Je n'arrive pas à me souvenir du nom de ce petit garçon qui venait de Maun, celui qui avait les oreilles décollées et qui courait très vite. Cela vous dit quelque chose, Mma ? », elle répondait sans la moindre hésitation : « Cedric Motoposipe. Il avait un frère qui n'était pas doué du tout pour l'athlétisme, mais qui est devenu un grand cuisinier et qui travaille maintenant comme chef à l'*Hôtel du Soleil.* Ce sont de bons garçons, tous les deux. » Quelqu'un pouvait demander : « Cette fille qui est allée vivre à Lobatse quand elle nous a quittés et qui s'est mariée à un gendarme, comment s'appelait-elle, déjà ? », et Mma Potokwane répondait : « Memedi Gafetsili. »

Non seulement Mma Potokwane retenait le nom de chaque orphelin, mais elle connaissait aussi toutes les personnes influentes du Botswana. Quand elle rencontrait quelqu'un, elle consignait chaque détail de son parcours dans un coin de sa mémoire, retenant en particulier la façon dont cette personne pouvait aider la ferme des orphelins. Les plus riches étaient ainsi sollicités pour des dons, l'on demandait aux bouchers les morceaux de viande invendus, aux boulangers les beignets et les gâteaux en trop. Les gens repoussaient rarement les requêtes de Mma Potokwane : il fallait, pour le faire, un degré de courage que peu d'êtres humains possédaient et, en conséquence, les orphelins ne manquaient de rien.

Mr. J.L.B. Matekoni, qui connaissait Mma Potokwane depuis plus de trente ans, était ainsi sollicité de façon régulière pour tous les problèmes mécaniques qui se présentaient. Il maintenait en vie le vieux minibus qui servait au transport des orphelins — ce qui l'amenait à battre le pays pour trouver des pièces détachées, car il s'agissait d'un véhicule très ancien — et s'occupait de la pompe d'alimentation en eau, qui perdait toujours de l'huile et avait tendance à surchauffer. Depuis longtemps déjà, il songeait à conseiller à Mma Potokwane d'envoyer la vieille machinerie, accompagnée de la pompe elle-même, à la ferraille, mais il savait que la directrice n'accéderait jamais à une telle suggestion. Elle estimait qu'il importait de tirer le maximum de chaque objet et que, tant qu'une machine, ou quoi que ce fût d'autre, pouvait être persuadée de fonctionner, il fallait la garder. Pour elle, une autre politique se fût apparentée à du gaspillage. Ainsi, la dernière fois que Mma Ramotswe avait pris le thé dans le bureau de la ferme des orphelins, elle avait remarqué que sa tasse de porcelaine avait été plusieurs fois recollée, au niveau de l'anse et ailleurs.

Tandis que Mr. J.L.B. Matekoni garait son camion à l'ombre d'un vieux frangipanier destiné aux visiteurs, ils virent Mma Potokwane leur faire de grands signes de bienvenue par la fenêtre. Ils descendirent du véhicule et Mr. J.L.B. Matekoni saisit la boîte à outils dont il aurait besoin pour la réparation. Déjà, Mma Potokwane émergeait de la porte d'entrée et venait à leur rencontre.

Elle les reçut chaleureusement.

— Mes deux grands amis qui arrivent en même temps ! s'exclama-t-elle. Mma Ramotswe et son fiancé, Mr. J.L.B. Matekoni !

— C'est mon chauffeur désormais, plaisanta Mma Ramotswe. Je n'ai plus besoin de conduire.

— Et moi, je n'ai plus besoin de faire la cuisine, ajouta Mr. J.L.B. Matekoni.

— Mais tu n'as jamais fait la cuisine, Rra, fit remarquer Mma Potokwane. Pourquoi parles-tu de cuisine ?

— Si, il m'est arrivé de cuisiner ! protesta Mr. J.L.B. Matekoni.

— Quand ?

— Certaines fois, soutint Mr. J.L.B. Matekoni. Mais nous n'allons pas rester ici à parler de cuisine. Il faut que j'aille réparer la pompe, non ? Qu'est-ce qui lui arrive aujourd'hui ?

— Elle fait un bruit très bizarre, expliqua Mma Potokwane. Ce n'est pas le même que d'habitude. Maintenant, ça ressemble un peu à un éléphant qui barrit. C'est le même son. Elle ne le fait pas en permanence, seulement de temps en temps. Et puis, il lui arrive aussi de se mettre à trembler comme un chien. Voilà ce qui se passe.

Mr. J.L.B. Matekoni secoua la tête.

— Elle est vraiment très très vieille, commenta-t-il. Les machineries ne durent pas éternellement, vous savez. Elles sont comme nous. Il faut qu'elles meurent à un moment ou à un autre.

Tout en prononçant ces paroles, il avait conscience que Mma Potokwane n'était pas prête à entendre un tel discours.

— Elle est peut-être vieille, répondit la directrice, mais elle fonctionne encore, non ? Si je devais en acheter une nouvelle, il faudrait que je la paye avec de l'argent que je peux utiliser à autre chose. Les enfants ont besoin de chaussures. Ils ont besoin de vêtements. Il y a les salaires des assistantes maternelles et des cuisinières, et tous les autres frais. Je n'ai pas d'argent pour remplacer les pompes.

— Je ne faisais que souligner une vérité concernant les machines, se défendit Mr. J.L.B. Matekoni. Je n'ai pas dit que je n'allais pas essayer de la réparer.

— Parfait, fit Mma Potokwane, mettant un terme à la discussion. Cette pompe, nous l'aimons tous. Nous n'avons pas envie qu'elle nous quitte maintenant. Un jour, peut-être, mais pas encore.

Elle se tourna vers Mma Ramotswe.

— Pendant que Mr. J.L.B. Matekoni s'occupe de la réparation, dit-elle, allons prendre le thé. Quand il aura terminé, il se joindra à nous. J'ai un gâteau aux fruits confits ; nous lui en mettrons une grosse part de côté.

La pompe se trouvait à l'extrémité d'un grand champ qui bordait la rangée de maisonnettes où vivaient les orphelins. Juste devant, il y avait un large carré de légumes, puis venait le champ lui-même, qui avait donné du maïs et demeurait couvert des tiges flétries de la dernière récolte. Le puits qui alimentait la pompe était de bonne qualité. Il bénéficiait d'eaux souterraines qui, suspectait Mr. J.L.B. Matekoni, devaient provenir d'une fuite du lac de retenue. Mr. J.L.B. Matekoni avait toujours trouvé étonnant qu'il y eût une telle quantité d'eau souterraine dans un pays comme celui-ci, et qu'au-dessous de ces vastes plaines brunes, si arides à la saison sèche, il pût encore subsister de profonds lacs d'eau douce et pure. Bien sûr, il ne fallait pas toujours compter sur cette eau. Lorsqu'on avait construit la grande maison de pierre à Mokolodi, on avait eu bien du mal à y faire venir de l'eau. On avait fait appel aux meilleurs sourciers que l'on avait pu trouver et ceux-ci avaient parcouru tout le secteur, leur baguette à la main, sans que rien ne se passât. Il n'y avait eu aucun mouvement. Pour une raison ou pour une autre, l'eau souterraine n'était pas présente à cet endroit. En fin de compte, il avait fallu installer un vieux réservoir pour alimenter la maison en eau.

Mr. J.L.B. Matekoni traversa le champ, faisant craquer les épis de maïs desséchés sous ses chaussures déjà couvertes de poussière. La terre est généreuse, pensa-t-il. Le sable et la terre pouvaient être persuadés, moyennant un peu d'eau, de produire de la vie et d'excellentes choses pour nos tables. Tout dépendait de cette générosité simple : les arbres, le bétail, les pousses de potiron, les gens, tout. Et ce sol, ce sol sur lequel il marchait, était un sol particulier. C'était le Botswana. C'était sa terre à lui. Elle avait généré les corps mêmes de sa famille : de son père, Mr. P.Z. Matekoni, et de son grand-père, Mr. T. Matekoni, avant lui. Tous, de génération en génération, étaient reliés à cette partie spéciale de l'Afrique, qu'ils aimaient et chérissaient et qui leur offrait tant en retour.

Mr. J.L.B. Matekoni leva les yeux. Il portait toujours un chapeau quand il sortait. Un chapeau marron sans ruban, en feutre fin, très vieux, aussi vieux que la pompe de la ferme des orphelins. Il le repoussa légèrement en arrière afin de mieux regarder le ciel. Celui-ci était si vide, si vertigineux dans sa hauteur, si indifférent à l'homme qui traversait le champ au-dessous de lui et qui réfléchissait en le traversant !

Il poursuivit sa marche et parvint à l'abri de la pompe. Celle-ci, contrôlée par un interrupteur automatique attaché au réservoir à eau, fonctionnait au moment où il arriva. Tout semblait normal et Mr. J.L.B. Matekoni se demanda si le problème n'était pas né de l'imagination de la directrice. Alors qu'il demeurait immobile sur le seuil de l'abri, songeant à la grosse part de cake aux fruits vers laquelle il pouvait désormais retourner, la pompe produisit le son étrange que lui avait décrit Mma Potokwane. Cela ressemblait exactement à un barrissement d'éléphant mais, pour Mr. J.L.B. Matekoni, le bruit était bien plus inquiétant : c'était le râle d'une pompe mourante.

Avec un soupir, il pénétra dans l'abri en s'assurant qu'il n'y avait pas de serpents, qui affectionnaient ce genre de lieux. Il poussa ensuite le bouton d'arrêt manuel. La pompe grogna, puis s'arrêta, et le silence s'installa. Mr. J.L.B. Matekoni posa sa boîte à outils et en tira une clé à molette. Il se sentait abattu. La vie tout entière se résumait à une bataille contre l'usure : l'usure des machines et l'usure des âmes. L'huile. La graisse. L'usure.

Il reposa la clé. Non. Il ne réparerait plus cette pompe. Mma Potokwane lui disait sans cesse de faire ci et ça, et lui, il obéissait toujours. Combien de fois s'était-il penché sur cette machine ? Au moins vingt, peut-être davantage. Jamais il n'avait réclamé le moindre thebe pour son travail et, bien entendu, il ne demanderait jamais rien. Toutefois, il venait un temps où l'on devait se montrer ferme face à une personne comme Mma Potokwane. Elle avait été si bonne avec lui lorsqu'il était malade — il le savait, mais gardait peu de souvenirs de cette étrange période de confusion et de tristesse — qu'il resterait toujours loyal envers elle. Mais le mécanicien, c'était lui, pas elle. C'était lui qui savait quand une pompe avait atteint le seuil de la mort et devait être remplacée. Elle ne connaissait rien, ni aux pompes ni aux voitures, même si, parfois, elle se conduisait comme si elle savait tout. Il faudrait qu'elle l'écoute, pour changer. Il lui dirait : « Mma Potokwane, j'ai examiné la pompe et l'on ne peut plus la réparer. Elle est bel et bien cassée. Vous devez téléphoner à l'un de vos donateurs et lui dire que vous avez besoin d'une nouvelle pompe. »

Il referma la porte derrière lui avec un dernier regard sur la machine. C'était une vieille amie, dans un sens. Aucune pompe moderne n'aurait cet air-là, avec son volant et sa magnifique enveloppe de fer. Aucune pompe moderne ne produirait jamais un bruit semblable à un barrissement d'éléphant. Cette pompe venait de très loin et l'on pouvait désormais la rendre aux Britanniques. *Voici votre pompe, que vous aviez laissée en Afrique. Elle est fichue, maintenant.*

— Quel délicieux gâteau ! s'exclama Mma Ramotswe en acceptant la deuxième part que Mma Potokwane venait de lui servir. Ces jours-ci, je n'ai plus le temps de préparer de bonnes choses. J'aimerais bien faire des gâteaux, mais où trouver le temps ?

— Celui-là, dit Mma Potokwane en léchant les miettes sur ses doigts, a été confectionné par l'une de nos assistantes maternelles, Mma Gotofede, qui est une excellente cuisinière. Chaque fois que je dois recevoir des visiteurs, elle en prépare un, alors que toute la journée elle s'occupe des enfants. Et vous savez le travail que ça représente…

— Ce sont d'excellentes femmes, les assistantes maternelles que vous avez ici, déclara Mma Ramotswe.

Elle regarda par la fenêtre. Deux d'entre elles prenaient une pause en bavardant sur la véranda de l'une des maisonnettes pimpantes dans lesquelles les orphelins vivaient par groupes de dix ou douze.

Mma Potokwane suivit le regard de sa visiteuse.

— Tenez, c'est justement Mma Gotofede qui est là-bas. Celle avec le tablier vert. C'est elle qui fait si bien la pâtisserie.

— J'ai connu des gens qui portaient ce nom, dit Mma Ramotswe. Ils vivaient à Mochudi. C'était une grande famille. Avec beaucoup d'enfants.

— Eh bien, cette dame est mariée à l'un des fils de cette famille, expliqua Mma Potokwane. Il travaille à l'entretien des routes. Il conduit un rouleau compresseur. Elle m'a raconté qu'il était passé sur un chien avec son engin la semaine dernière, par mégarde, bien sûr. C'était apparemment un très vieux chien, puisqu'il n'a pas entendu le rouleau compresseur arriver.

— C'est bien triste, commenta Mma Ramotswe. Mais le pauvre n'a pas dû souffrir. Au moins, c'est une consolation.

Mma Potokwane réfléchit un moment.

— Non, sans doute.

— Ce gâteau est vraiment délicieux, reprit Mma Ramotswe. Peut-être Mma Gotofede voudra-t-elle bien me donner la recette un jour. Motholeli et Puso l'adoreraient.

À la mention des enfants, Mma Potokwane sourit.

— J'espère qu'ils se portent bien, dit-elle. C'est très gentil à vous et à Mr. J.L.B. Matekoni de les avoir adoptés comme ça.

Mma Ramotswe leva sa tasse de thé et considéra Mma Potokwane par-dessus le bord. C'était la première fois que le terme d'*adoption* était mentionné : au départ, il n'avait été question que de *placement*. En réalité, cela ne faisait guère de différence, mais avec Mma Potokwane, il fallait toujours se méfier : elle était prête à tout pour le bien de ses orphelins.

— Nous sommes très heureux de les avoir, affirma Mma Ramotswe. Ils peuvent vivre avec nous jusqu'à ce qu'ils atteignent l'âge adulte. Au fait, Motholeli veut devenir garagiste. Vous le saviez ? Elle est très douée pour la mécanique et Mr. J.L.B. Matekoni va tout lui enseigner.

Mma Potokwane applaudit, ravie. Elle avait de l'ambition pour les orphelins et rien ne lui faisait plus plaisir que d'apprendre que l'un d'eux se débrouillait bien dans la vie.

— C'est une excellente nouvelle, dit-elle. C'est vrai, pourquoi une fille ne pourrait-elle pas devenir garagiste ? Même en fauteuil roulant… Je suis très contente d'apprendre ça. Elle pourra aider Mr. J.L.B. Matekoni à réparer notre pompe.

— Il va lui fabriquer une rampe pour son fauteuil roulant, expliqua Mma Ramotswe. Ainsi, elle pourra accéder aux moteurs.

Mma Potokwane hocha la tête en signe d'approbation.

— Et son frère ? demanda-t-elle. Est-ce qu'il s'en sort bien, lui aussi ?

À l'hésitation de Mma Ramotswe, elle comprit que quelque chose n'allait pas.

— Que se passe-t-il ? interrogea-t-elle. Il ne va pas bien ?

— Ce n'est pas cela, répondit Mma Ramotswe. Il mange bien et il grandit. J'ai déjà dû lui acheter de nouvelles chaussures. Il n'y a aucun problème de ce côté-là. Seulement…

— Il se conduit mal ? fit Mma Potokwane.

Mma Ramotswe hocha la tête.

— J'aurais préféré ne pas vous ennuyer avec ça, mais j'ai pensé que vous pourriez peut-être me donner des conseils. Vous avez vu défiler toutes sortes d'enfants ici. Vous savez tout sur les enfants.

— Les enfants sont tous différents, expliqua Mma Potokwane. Même lorsqu'ils sont frères et sœurs, ils ont chacun leur personnalité. La recette pour chaque enfant est une recette unique, même si la mère et le père sont les mêmes. Un enfant est gros, un autre est maigre. Un enfant est intelligent, un autre ne l'est pas. Et ainsi de suite. Chaque enfant est différent.

— Au départ, c'était un petit garçon très sage. Il était poli et ne faisait jamais de bêtises. Et puis, tout à coup, il a commencé à mal se comporter. Nous ne l'avons jamais corrigé ni puni, mais il est devenu boudeur et irritable. Il me lance parfois des regards noirs et je ne sais pas comment réagir.

Mma Potokwane écouta attentivement Mma Ramotswe décrire les incidents qui avaient eu lieu, dont le meurtre du moqueur d'Afrique au lance-pierre.

— En tout cas, ce n'est pas ici qu'il a appris à tuer les oiseaux, déclara-t-elle. Nous n'autorisons pas les enfants à tuer les bêtes. Nous leur apprenons que tous les animaux sont leurs frères et leurs sœurs. Voilà ce que nous faisons.

— Et quand Mr. J.L.B. Matekoni lui en a parlé, Puso lui a répondu qu'il le détestait.

— Qu'il le détestait ? s'exclama Mma Potokwane. Personne ne devrait détester Mr. J.L.B. Matekoni, et sûrement pas un petit garçon à qui il a offert un foyer et une famille.

— On dirait qu'on lui a versé du poison dans l'oreille, commenta Mma Ramotswe.

Les sourcils froncés, Mma Potokwane remplit la tasse de Mma Ramotswe.

— C'est sans doute plus vrai que vous ne le pensez, Mma, dit-elle. Du poison dans l'oreille. Cela arrive à tous les enfants.

— Mais je ne comprends pas. Quand cela a-t-il pu se produire ?

— Il va en classe maintenant, non ? Dès l'instant où ils vont à l'école, les enfants rencontrent d'autres enfants, et ceux-ci ne se comportent pas toujours bien. Certains sont des vauriens. Ce sont eux qui versent le poison.

Mma Ramotswe se souvint alors de la tristesse de Motholeli après l'agression verbale dont elle avait été victime. Puso était beaucoup plus jeune, bien sûr, mais peut-être lui était-il arrivé la même chose.

— Je pense qu'il ne sait pas très bien où il en est, reprit Mma Potokwane. Il doit se rendre compte qu'il est différent des autres garçons de son école — parce qu'il est orphelin —, mais ne doit pas savoir comment compenser cette différence. Et il s'en prend à vous parce qu'il est perdu.

Mma Ramotswe trouva l'explication cohérente, mais que pouvait-on faire ? Ils avaient tenté d'être gentils avec l'enfant et de lui accorder davantage d'attention, mais en vain.

— Je pense, reprit Mma Potokwane, qu'il est temps que Mr. J.L.B. Matekoni commence à lui inculquer des règles auxquelles se conformer. Il doit lui fixer des limites. Les autres garçons ont des pères ou des oncles pour cela. Ils en ont besoin.

Elle se tut, observant l'effet de ses paroles sur Mma Ramotswe.

— À mon avis, il faut que Mr. J.L.B. Matekoni se comporte davantage en père, ajouta-t-elle. Qu'il soit plus fort. Son problème, c'est qu'il est trop gentil, trop doux. Nous le savons tous. Seulement, ce n'est pas ce qu'il faut aux petits garçons.

Mma Ramotswe demeura pensive.

— Alors Mr. J.L.B. Matekoni doit se montrer plus ferme ?

Mma Potokwane sourit.

— Un peu. Mais ce qu'il faudrait surtout, c'est qu'il prenne le garçon avec lui dans son camion. Qu'il l'emmène voir la campagne, le bétail. Des choses comme ça.

— Je vais le lui dire, assura Mma Ramotswe.

Mma Potokwane reposa sa tasse de thé et regarda de nouveau par la fenêtre. Un groupe d'enfants jouait sous un jacaranda à l'ombre généreuse.

— On peut apprendre tout ce qu'on veut savoir sur les enfants en observant leurs jeux. Vous voyez ceux-là, là-bas ? Vous remarquerez que les garçons jouent entre eux, à se pousser l'un l'autre, et que les filles les regardent. Elles ont envie de se mêler à eux, mais elles ne savent pas comment, et elles n'aiment pas les jeux violents. Vous voyez ? Vous voyez ce qu'il se passe ?

Mma Ramotswe observa à son tour. Elle vit les garçons — un groupe de cinq ou six — engagés dans leurs jeux physiques. Elle vit l'une des filles désigner les garçons du doigt, puis avancer d'un pas pour leur parler. Les garçons l'ignorèrent.

— Vous voyez ? répéta Mma Potokwane. Si vous voulez comprendre le monde, il suffit de regarder ça. Ces garçons ne font que jouer, mais ce jeu est très important pour eux. Ils sont en train de déterminer qui sera le chef. Le grand, là-bas, vous le voyez ? C'est lui, le chef. Et ce sera encore lui dans dix ans, dans vingt ans.

— Et les filles ? demanda Mma Ramotswe. Pourquoi restent-elles sans rien faire ?

Mma Potokwane se mit à rire.

— Elles trouvent ce jeu idiot, mais elles aimeraient bien y participer. Elles regardent les garçons et elles finiront par trouver un moyen de leur gâcher le plaisir. Elles deviendront de plus en plus douées pour cela.

— Je suis sûre que vous avez raison, dit Mma Ramotswe.

— Je crois, répondit Mma Potokwane. Un jour, on nous a envoyé quelqu'un de l'université, vous savez. Cette personne se qualifiait de psychologue. Elle avait étudié aux États-Unis et lu beaucoup de livres sur l'évolution des enfants. Je lui ai suggéré : regardez simplement par la fenêtre. Elle n'a pas compris ce que je voulais dire, mais je crois que vous, Mma Ramotswe, vous comprenez.

— Oui, répondit Mma Ramotswe. Je comprends.

— Il est inutile de lire des livres pour savoir comment marche le monde, poursuivit Mma Potokwane. Il suffit d'ouvrir les yeux.

— C'est vrai, acquiesça Mma Ramotswe.

Toutefois, elle gardait quelques réserves quant aux assertions de Mma Potokwane. Elle avait un immense respect pour les livres et eût aimé en avoir lu davantage. On ne lisait jamais assez. Jamais.

CHAPITRE XIV

Mr. Bernard Selelipeng

— Je t'ai trouvé très courageux, commenta Mma Ramotswe sur le chemin du retour. Il n'est pas facile de tenir tête à Mma Potokwane, mais tu l'as fait.

Mr. J.L.B. Matekoni sourit.

— Je ne pensais pas en avoir le courage ! Seulement, quand j'ai regardé cette vieille pompe et que j'ai entendu les sons étranges qu'elle produisait, j'ai décidé que je n'y toucherais pas. Ce n'était plus possible, après toutes ces réparations. Il arrive un moment où l'on doit laisser les machines mourir.

— Tu sais, je la regardais pendant que tu lui parlais, enchaîna Mma Ramotswe. Elle n'en revenait pas. C'était comme si l'un des enfants lui répondait. Elle ne s'y attendait pas du tout.

Malgré sa surprise, cependant, Mma Potokwane avait abandonné la partie assez vite. Il y avait eu une tentative peu convaincue d'infléchir la décision de Mr. J.L.B. Matekoni et de le persuader de réparer encore la pompe — « juste une dernière fois » —, mais devant la détermination de l'intéressé, elle était vite passée à une autre question : qui allait-on solliciter pour subventionner la nouvelle pompe ? Bien sûr, il y avait une caisse de secours, destinée à subvenir aux besoins de la ferme et assez bien pourvue pour permettre de régler la facture, mais on n'y touchait qu'au cas extrême où l'on ne trouvait pas d'autre solution. Avant d'en arriver là, il existait certainement quelque part une personne que l'on pourrait convaincre que ce serait un honneur d'avoir une pompe à son nom. C'était une excellente façon d'obtenir des fonds. Certains individus aimaient faire le bien en catimini, versant de l'argent de façon discrète et anonyme, mais les autres, bien plus nombreux, préféraient faire œuvre de charité au vu et au su de tous et bénéficier d'un maximum de publicité. Cela n'avait aucune importance, bien sûr. L'essentiel était d'obtenir l'argent.

Mr. J.L.B. Matekoni n'avait pas quitté la ferme sans offrir une contribution positive. Après avoir lancé la triste nouvelle concernant la pompe, il avait passé une heure absorbé par le vieux minibus destiné au transport des orphelins, qui rencontrait un délicat problème d'allumage. Là non plus, ça ne pourrait durer éternellement et Mr. J.L.B. Matekoni se demandait dans combien de temps il lui faudrait annoncer la mort du véhicule à Mma Potokwane. Pour l'heure, il pouvait encore le maintenir en état de marche au moyen de rafistolages judicieux.

Pendant la réparation, Mma Ramotswe et Mma Potokwane avaient occupé leur temps en compagnie des assistantes maternelles. Mma Gotofede avait été consultée au sujet de son cake aux fruits, dont elle avait noté la recette pour Mma Ramotswe, y incluant deux ou trois astuces destinées à assurer la bonne consistance et le niveau d'humidité requis. Les deux femmes s'étaient ensuite rendues dans la nouvelle buanderie et Mma Potokwane avait fait la démonstration de l'efficacité des fers à repasser à vapeur que l'on venait d'acquérir.

— Les enfants doivent être propres et soignés, avait-elle expliqué. Un enfant bien vêtu est plus heureux qu'un enfant sale et débraillé. C'est un fait avéré.

La visite à la ferme des orphelins s'était donc révélée enrichissante. Après avoir parlé de la pompe dans le camion qui les ramenait au garage, Mma Ramotswe jugea le moment bien choisi pour évoquer le problème de Puso. Le message à délivrer à Mr. J.L.B. Matekoni s'annonçait délicat. Elle ne voulait pas que son fiancé y voie un blâme, ou qu'il pense que Mma Potokwane l'avait critiqué, mais elle devait néanmoins l'inciter à jouer un rôle plus concret dans la vie du petit garçon.

— Je lui ai parlé de Puso, commença-t-elle. Elle était désolée d'apprendre qu'il nous posait des problèmes.

— A-t-elle été surprise ? s'enquit Mr. J.L.B. Matekoni.

Mma Ramotswe secoua la tête.

— Pas du tout. Elle dit que les garçons sont toujours difficiles à élever. Elle dit que les hommes doivent passer du temps avec eux pour les aider. Sinon, ils sont désorientés et deviennent difficiles. Il faudrait que quelqu'un passe du temps avec Puso.

— Moi ? fit Mr. J.L.B. Matekoni. Ce doit être à moi qu'elle pense.

Mma Ramotswe se demanda s'il était fâché. Ce n'était pas facile à deviner avec lui. Elle ne l'avait vu en colère qu'une ou deux fois, mais il s'était si bien maîtrisé que cette saute d'humeur eût échappé à bien des interlocuteurs.

— J'imagine, répondit-elle. Elle suggère que tu fasses plus de choses avec lui. De cette façon, il te considérerait davantage comme un père. Ce serait bon pour lui.

— Ah, dit Mr. J.L.B. Matekoni, je vois. Elle doit penser que je ne suis pas un bon père.

Mma Ramotswe n'aimait pas mentir. Elle était une ardente partisane de la franchise, mais parfois il importait d'enjoliver un peu la réalité pour éviter de blesser.

— Pas du tout ! protesta-t-elle. Mma Potokwane a dit que tu étais le meilleur père dont un garçon puisse rêver. C'est ce qu'elle a dit.

C'était faux, mais Mma Potokwane aurait pu parler ainsi. D'ailleurs, si elle ne l'avait pas pensé, aurait-elle tant insisté pour confier les enfants à Mr. J.L.B. Matekoni ? Non, ce n'était pas un mensonge. C'était une *interprétation*.

Ces mots produisirent l'effet souhaité : Mr. J.L.B. Matekoni s'illumina, puis se gratta la tête.

— C'est gentil à elle d'avoir dit ça. Mais je vais essayer de faire plus de choses avec lui, comme elle le suggère. Je vais l'emmener en promenade dans mon camion.

— Quelle bonne idée ! s'empressa d'approuver Mma Ramotswe. Et peut-être pourrais-tu aussi jouer avec lui. Au football, par exemple.

— D'accord, acquiesça Mr. J.L.B. Matekoni. Je vais le faire, dès ce soir. Je vais faire tout ça.

Ce soir-là, Mma Ramotswe prépara le dîner et Mr. J.L.B. Matekoni emmena Puso dans son camion. Il le conduisit jusqu'au lac de retenue, le prit sur ses genoux durant la dernière partie du trajet et l'autorisa à tenir le volant sur la petite route cahoteuse. Au retour, ils s'arrêtèrent pour acheter des frites, qu'ils mangèrent ensemble dans le camion. Lorsqu'ils rentrèrent, Mma Ramotswe remarqua qu'ils souriaient tous les deux.

Le lendemain matin, dans les locaux communs à l'Agence N° 1 des Dames Détectives et au Tlokweng Road Speedy Motors, l'humeur générale, si elle n'était pas à son meilleur, frisait toutefois l'optimisme. Mr. J.L.B. Matekoni savourait la satisfaction d'avoir eu gain de cause pour le remplacement de la pompe à la ferme des orphelins et il se réjouissait de l'évolution favorable de ses rapports avec Puso. Mma Ramotswe, qui partageait ces sentiments, sentit sa bonne humeur décupler en voyant arriver, par le courrier du matin, trois chèques de clients récalcitrants. Le plus jeune des apprentis arborait pour sa part un air de sérénité tranquille, comme s'il avait eu une vision, songea Mma Ramotswe, qui ne parvint pas à s'expliquer ce qui pouvait lui inspirer une telle béatitude. L'autre apprenti se montrait étrangement silencieux, sans toutefois afficher de mauvaise humeur. Il lui était arrivé quelque chose, estima Mma Ramotswe, mais là encore, elle ne parvenait pas à se figurer de quoi il pouvait s'agir, quoique, dans son cas, on pût imaginer que la découverte d'une fille à la beauté époustouflante l'avait réduit au silence et à la contemplation muette.

Le plus jeune apprenti eût adoré divulguer la nouvelle du miracle survenu la veille au Tlokweng Road Speedy Motors. Malheureusement, c'était impossible, du moins en ces lieux, étant donné les circonstances compromettantes dans lesquelles il avait eu lieu. Annoncer que la prière avait remis en marche la machine défectueuse impliquait un aveu impossible. À n'en pas douter, Mr. J.L.B. Matekoni se serait moins intéressé à la façon dont la voiture était redescendue qu'au fait qu'elle se soit retrouvée en hauteur, et cela aurait entraîné, au mieux, des réprimandes, au pis, une retenue sur salaire, que le contrat d'apprentissage autorisait en cas de mauvaise conduite. Aussi ne pouvait-il ni rapporter cet événement exceptionnel ni s'en octroyer le crédit. Il lui faudrait attendre le dimanche suivant pour pouvoir révéler à la communauté réunie dans l'église, aux frères et aux sœurs que ce genre de prodiges intéressait, que la prière avait produit un résultat concret et immédiat.

D'un naturel sceptique, l'aîné des apprentis s'était trouvé ébranlé par le lien évident qui semblait exister entre la prière et l'événement que celle-ci avait déclenché. Si son jeune collègue était capable d'un tel prodige, cela signifiait-il qu'il avait eu raison de s'engager dans la voie qu'il avait choisie ? Les implications d'une telle hypothèse étaient alarmantes : désormais, il faudrait prêter attention aux prédictions du benjamin, qui menaçait Charlie du courroux divin s'il persistait dans son attitude. Cela donnait à réfléchir.

Mma Ramotswe avait également noté une transformation dans l'attitude de Mma Makutsi. On pouvait fort bien imaginer que sa nouvelle robe et ses chaussures neuves y étaient pour quelque chose, ce genre de détails ayant certes une action positive sur l'humeur, mais manifestement, ce n'était pas tout. Ce qui frappait chez l'assistante, c'était un air de modestie affectée qui entachait chacun de ses gestes. À cela, il n'existait qu'une seule explication.

— Vous avez l'air heureuse aujourd'hui, Mma, lança-t-elle avec désinvolture tout en reportant le montant des chèques et le nom de leur signataire dans son livre de comptes.

Mma Makutsi esquissa un geste vague de la main droite.

— C'est une bonne journée. Vous venez de recevoir ces trois chèques.

Mma Ramotswe sourit.

— C'est vrai, répondit-elle. Mais il nous est déjà arrivé de recevoir des chèques et cela n'a jamais eu ce genre d'effet sur vous. Il y a autre chose, n'est-ce pas ?

— C'est vous la détective, Mma, répondit Mma Makutsi, espiègle. À vous de me dire ce que c'est.

— Vous avez rencontré quelqu'un, déclara Mma Ramotswe sans détour. Vous avez le comportement d'une femme qui vient de rencontrer un homme.

Mma Makutsi afficha sa stupéfaction.

— Eh bien ! Chapeau !

— Voilà, reprit Mma Ramotswe. Je le savais. Je suis très heureuse pour vous, Mma. J'espère qu'il est sympathique.

— Oh oui, très sympathique ! acquiesça Mma Makutsi avec enthousiasme. Et très beau aussi. Il porte la moustache et la raie au milieu.

— C'est intéressant, commenta Mma Ramotswe. Moi aussi, j'aime les moustachus.

Elle se demanda si Mr. J.L.B. Matekoni pourrait se laisser convaincre de se faire pousser la moustache, mais estima cela peu probable. Elle l'avait entendu parler aux apprentis de la nécessité d'être bien rasé pour un mécanicien. Cela devait avoir un rapport avec le cambouis, omniprésent au garage, conclut-elle.

Elle attendit que Mma Makutsi complète sa description, mais cette dernière, occupée à passer en revue une pile de factures du garage, demeura silencieuse. Déçue, elle retourna à son livre de comptes.

— Et il a un très beau sourire, ajouta soudain Mma Makutsi. C'est l'un de ses atouts.

— Ah oui ? fit Mma Ramotswe. Êtes-vous allée danser avec lui ? Les moustachus sont souvent de bons danseurs.

Mma Makutsi baissa la voix.

— En fait, nous ne sommes pas encore sortis ensemble, expliqua-t-elle. Mais cela ne saurait tarder. C'est peut-être pour ce soir.

Mr. Bernard Selelipeng fut le premier élève à arriver ce soir-là. Il frappa à la porte de la salle paroissiale avec vingt bonnes minutes d'avance sur l'horaire habituel. Mma Makutsi était déjà là depuis une demi-heure, soucieuse de préparer les exercices, et elle avait dû retoucher le croquis à la craie sur le tableau noir. De jeunes scouts s'étaient réunis dans le local au cours de l'après-midi et ils avaient laissé des marques de doigts sur le dessin du clavier, nécessitant une rectification pour le majeur de la main droite et l'auriculaire de la gauche.

— Ce n'est que moi, Mma, annonça-t-il en entrant. Bernard Selelipeng.

Elle leva les yeux et lui sourit. Elle remarqua la raie impeccable, les cheveux brillants et le col soigneusement boutonné. Elle vit aussi les chaussures cirées avec application, autre très bon signe, songea-t-elle, et qui laissait supposer qu'il apprécierait les nouvelles chaussures vertes qu'elle portait.

Elle continua de sourire, tandis qu'il gagnait sa place. Il saisit son devoir, qu'elle avait déposé sur sa table, et commença à lire les commentaires inscrits au crayon. Mma Makutsi le quitta des yeux et entreprit de se concentrer sur la pile de papiers posés devant elle, mais elle ne put s'empêcher de guetter la réaction de son élève.

Celui-ci releva soudain la tête et elle sut aussitôt qu'elle avait bien fait. Après avoir plié sa feuille, il vint se poster devant elle.

— J'espère que vous ne m'avez pas trouvé indélicat, Mma, dit-il. Je voulais écrire la vérité, et c'est la vérité.

— Mais bien sûr que non ! assura Mma Makutsi. J'ai été au contraire très heureuse de vous lire.

— Et vous m'avez donné exactement la réponse que j'espérais, reprit-il. J'aimerais vous inviter à prendre un verre avec moi ce soir après le cours. Êtes-vous libre ?

Bien sûr qu'elle était libre ! Si, durant la classe, elle parut absorbée dans l'enseignement de la dactylographie, elle ne pensa à rien d'autre qu'à Mr. Bernard Selelipeng et elle eut toutes les peines du monde à adresser ses questions à l'ensemble des élèves, plutôt qu'à l'homme élégant et souriant assis au milieu de la deuxième rangée. Tant d'interrogations nécessitaient des réponses ! Quel métier exerçait-il, par exemple ? D'où venait-il ? Quel âge avait-il ? Elle lui donnait trente-cinq à quarante ans, mais avec les hommes, il était difficile d'avoir des certitudes.

À la fin du cours, lorsque tous les élèves, sauf un, se furent dispersés, Bernard Selelipeng aida Mma Makutsi à ranger et à fermer la salle. Puis il l'escorta jusqu'à sa voiture — encore un bon signe — et ils se mirent en route vers un bar qu'il connaissait, à la périphérie de la ville, sur la route de Francistown. Elle éprouvait un sentiment de plaisir intense à se trouver ainsi dans la voiture d'un homme, comme ces dames qui avaient la chance de se faire conduire par leur époux ou leur amoureux et arboraient un air confiant de propriétaire. Elle se sentait tout à fait à l'aise, ainsi transportée dans une voiture, avec un beau moustachu au volant. Comme il devait être facile de s'habituer à cela ! Plus de longues marches sur des chemins poussiéreux foulés par des milliers de pieds, plus de frustrantes attentes pour monter dans un bus étouffant et bondé qui vous emmenait d'un point à un autre dans un état d'inconfort extrême pour un pula ou deux…

Bernard Selelipeng lui lança un coup d'œil, suivi de l'un de ses sourires éclatants. Ce sourire, songea-t-elle, était son trait le plus charmant. C'était un sourire engageant et chaleureux dont on pouvait imaginer sans peine faire son quotidien. Un mari grimaçant se révélerait pire que pas de mari du tout, mais un mari qui vous souriait de cette façon ferait battre chaque jour le cœur de son épouse.

Ils parvinrent au bar. Mma Makutsi le connaissait pour être passée devant, mais elle n'y était jamais entrée. C'était un établissement assez chic, où l'on pouvait aussi dîner si on le souhaitait. Il y avait une musique de fond lorsqu'ils entrèrent et un serveur apparut très vite pour prendre leur commande. Bernard Selelipeng opta pour une bière et Mma Makutsi, qui ne buvait jamais d'alcool, pour un soda avec des glaçons.

Bernard Selelipeng fit tinter son verre contre celui de sa compagne et sourit de nouveau. Ils n'avaient guère parlé dans la voiture, mais à présent, il lui demanda poliment où elle habitait et comment elle gagnait sa vie dans la journée. Mma Makutsi hésita à lui parler de l'Agence N° 1 des Dames Détectives, craignant de l'inhiber en se présentant comme détective — même si elle n'était qu'assistante-détective —, et elle répondit donc qu'elle était secrétaire de direction au garage Tlokweng Road Speedy Motors.

— Et vous, Rra ? interrogea-t-elle à son tour. Quel métier faites-vous ?

— Je travaille au bureau des diamants, expliqua-t-il. Je suis DRH. Directeur des ressources humaines.

Cette réponse impressionna Mma Makutsi. À la compagnie des diamants, les postes étaient stables et bien rémunérés, et c'était une bonne chose, pensa-t-elle, d'être DRH, d'avoir un métier aux consonances aussi modernes. En y songeant toutefois, elle se demanda pourquoi un chef du personnel, beau et dans la force de l'âge, et qui possédait en outre une voiture à lui, n'était pas marié. Il devait compter parmi les meilleurs partis de Gaborone et pourtant, c'était sur elle, Mma Makutsi, qu'il avait jeté son dévolu, alors qu'elle n'était certainement pas la plus séduisante des femmes. S'il se rendait par exemple à l'Institut de secrétariat du Botswana et se garait devant l'établissement, il n'aurait aucune difficulté à faire monter dans sa voiture des filles plus à la mode et plus jeunes qu'elle. Et pourtant, c'était elle qu'il avait choisie. Elle jeta un coup d'œil à la main gauche de son compagnon lorsqu'il porta son verre à ses lèvres : il n'y avait pas d'alliance.

— Je vis seul, déclara Bernard Selelipeng. J'ai un appartement dans l'un des immeubles à l'entrée du Village. Ce n'est pas loin de votre garage. C'est là que j'habite.

— Ce sont de très beaux immeubles, commenta Mma Makutsi.

— J'aimerais vous montrer mon appartement un de ces jours, reprit Bernard Selelipeng. Je suis sûr qu'il vous plaira.

— Mais pourquoi vivez-vous seul ? s'enquit Mma Makutsi. La plupart des gens n'aiment pas la solitude.

— Je suis divorcé. Ma femme est partie avec un autre homme et elle a pris les enfants. C'est pourquoi je me retrouve seul.

L'idée qu'une femme puisse quitter un homme comme celui-là étonna Mma Makutsi, mais bien sûr, l'épouse en question était peut-être légère. Dans ce cas, un homme plus fortuné, moins discret, avait dû lui tourner la tête — même si Bernard Selelipeng ne semblait manquer de rien.

Deux ou trois heures durant, ils bavardèrent sans voir le temps passer. Bernard Selelipeng était drôle et plein d'esprit et elle rit beaucoup aux descriptions qu'il lui fit de ses collègues de travail. Elle parla des deux apprentis et cela amusa son compagnon. Puis, peu avant dix heures, il consulta sa montre et annonça qu'il serait heureux de la raccompagner chez elle, car il avait une réunion importante de bonne heure le lendemain et qu'il ne voulait pas arriver en retard. Ils regagnèrent donc la voiture, puis roulèrent dans la nuit. Une fois parvenus à la maison dans laquelle elle louait sa chambre, il s'arrêta, mais sans éteindre le moteur. Là encore, c'était un signe positif.

— Bonne nuit, dit-il en lui effleurant l'épaule. Je vous reverrai au cours demain soir.

Elle lui adressa un sourire encourageant.

— Vous avez été très gentil, répondit-elle. Merci pour cette soirée.

— J'ai hâte de ressortir avec vous. Il y a un film qui me tente au cinéma. Peut-être pourrions-nous aller le voir ensemble ?

— J'en serais très heureuse.

Elle regarda la voiture descendre la rue et ses lumières rouges décroître peu à peu dans l'obscurité. Elle soupira ; cet homme était si gentil, si bien élevé ! C'était une sorte de Mr. J.L.B. Matekoni, en plus séduisant ! Quelle coïncidence que Mma Ramotswe et elle-même aient toutes les deux trouvé des hommes aussi bons, alors qu'il existait tant de charlatans et d'imposteurs dans ce monde !

CHAPITRE XV

Une cliente mécontente

Avec cette profusion de développements positifs, on n'avait guère eu le temps de songer à l'agence de détectives concurrente, et peut-être l'aurait-on même totalement oubliée sans deux événements venus rappeler l'existence de Mr. Buthelezi. Le premier fut la parution, dans la *Botswana Gazette*, d'une interview de ce dernier sur une pleine page du journal. L'article était surmonté d'une photographie du détective assis à son bureau, une cigarette dans une main, un téléphone sans fil dans l'autre. Il avait été repéré par Mma Ramotswe, et elle en fit la lecture à Mma Makutsi, qui sirotait pensivement — non sans une consternation croissante — une tasse de thé rouge.

De New York à Gaborone, via Johannesburg, annonçait le titre. « Un détective venu d'ailleurs. Nous avons bavardé avec le charmant Mr. Buthelezi dans son élégant bureau et nous lui avons demandé d'évoquer son métier de détective privé à Gaborone.

« — C'est assez difficile d'être le premier véritable détective privé de cette ville, a répondu Mr. Buthelezi. Depuis quelque temps, comme chacun sait, une ou deux femmes s'essaient à ce métier en amateurs, mais elles ne possèdent, bien entendu, aucune formation. Je ne dis pas qu'elles ont tort de faire ce qu'elles font : on trouve toujours de petites affaires mettant en cause des enfants ou des choses sans grande importance. Je suis sûr qu'elles s'en sortent très bien dans ce genre d'activités. Mais pour ce qui est des enquêtes sérieuses, il faut évidemment faire appel à un vrai détective.

« J'ai été formé à la Police judiciaire de Johannesburg. Nous avions un entraînement très rude, étant donné le nombre de gangsters et de meurtres qu'on voit là-bas, si bien que je me suis vite endurci. Il faut être endurci pour exercer ce métier. Voilà pourquoi les hommes sont mieux placés que les femmes pour le faire. Ils sont plus endurcis.

« À la PJ, j'ai mené des centaines et des centaines d'enquêtes. J'ai arrêté des assassins célèbres, des voleurs de bijoux. Eh oui... Là-bas, des fortunes disparaissent comme ça, en un clin d'œil ! Il y avait aussi beaucoup de kidnappings. Enfin bref, tout cela faisait mon pain quotidien et j'ai vite remarqué que je comprenais de mieux en mieux la psychologie des malfaiteurs. C'est une expérience que je mets désormais au service de la population.

« Depuis l'ouverture de mon agence, je suis très occupé. On rencontre visiblement beaucoup de problèmes dans cette ville, et si des lecteurs veulent avoir des éclaircissements dans tel ou tel domaine, je suis leur homme. Je le répète, je suis l'homme qu'il vous faut.

« Vous me demandez quelles qualités l'on doit posséder pour faire un bon détective. Je dirais qu'il importe avant tout de comprendre le fonctionnement de la psychologie humaine. Ensuite, il faut savoir remarquer les détails. Nous devons être attentifs à tout — parfois aux toutes petites choses — pour découvrir la vérité. Un détective privé, c'est un peu comme un appareil photo : il prend sans cesse des clichés et les enregistre dans son cerveau en cherchant toujours à comprendre ce qu'il se passe. C'est là son secret.

« Vous me demandez comment on devient détective privé. La réponse, c'est qu'il faut suivre une formation sérieuse, de préférence à la PJ. Il ne suffit pas de poser une pancarte pour se proclamer détective. Certaines personnes l'ont fait, ici même, à Gaborone, mais cela ne peut pas marcher. La formation est indispensable.

« Cela peut également aider d'avoir séjourné à Londres ou à New York, ou dans des villes comme celles-là. Grâce à cette expérience, vous connaissez le monde et personne ne peut venir vous raconter d'histoires. J'ai été à New York et je sais exactement comment les détectives privés travaillent là-bas. J'en connais beaucoup. Ce sont des hommes extrêmement intelligents, ces détectives de New York, et d'ailleurs, la plupart sont devenus de très bons amis à moi.

« Seulement, à la fin de la journée, je me dis toujours : D'est en ouest et du nord au sud, c'est quand même chez soi qu'on est le mieux ! C'est pourquoi je suis revenu ici, à Gaborone, qui est la ville de ma mère et où j'ai suivi ma scolarité. Je suis un détective motswana qui a un nom étranger. Je connais beaucoup de choses et ce que je ne sais pas encore, je le découvrirai sans peine. Appelez-moi. Quand vous voulez. »

Sa lecture achevée, Mma Ramotswe laissa retomber le journal sur la table avec un geste de dégoût. Les fanfaronnades des hommes lui étaient depuis longtemps familières et elle se montrait indulgente à leur égard, mais là, Mr. Buthelezi allait trop loin. Toutes ces références à la supériorité des hommes sur les femmes en matière d'investigation privée la montraient clairement du doigt, elle et son agence, et même s'il était évident qu'une telle agressivité traduisait un manque de confiance en soi, il semblait impossible de ne pas réagir. Cependant, il fallait se méfier des pièges : Mr. Buthelezi n'attendait-il pas précisément une réaction, qui lui permettrait d'attirer encore une fois l'attention sur lui ? En outre — et c'était là le plus inquiétant —, l'interview ne manquerait pas de toucher une corde sensible chez une majorité de lecteurs du journal. Beaucoup de gens, supposait-elle, pensaient effectivement que Mma Ramotswe exerçait un métier masculin, tout comme ils estimaient que les hommes étaient plus aptes à conduire un train ou à piloter un avion. Mais n'avait-elle pas lu quelque part — et d'autres avaient dû le lire aussi, sans doute — que l'on se trouvait plus en sécurité quand c'était une femme qui tenait le volant ou les manettes ? La raison à cela, apparemment, était que les femmes se montraient plus prudentes et ne cherchaient pas à impressionner la galerie en prenant des risques. Voilà pourquoi, dans leur ensemble, elles roulaient moins vite que leurs collègues masculins. Et cependant, beaucoup d'hommes refusaient de le reconnaître et multipliaient les remarques désobligeantes à l'encontre des femmes au volant.

— Je vais mener ma petite enquête, Mma, résolut Mma Ramotswe. Pourriez-vous aller chercher Charlie ? Je voudrais lui faire lire ça.

Mma Makutsi afficha son scepticisme.

— Mais pourquoi, Mma ? Vous savez bien qu'il n'y a que les filles qui l'intéressent. Cet article ne lui fera ni chaud ni froid.

— C'est une expérience, expliqua Mma Ramotswe. Vous allez voir.

Mma Makutsi quitta le bureau et revint quelques minutes plus tard, accompagnée de l'aîné des apprentis. Celui-ci s'essuyait les mains sur le chiffon de coton que fournissait Mr. J.L.B. Matekoni dans le cadre de sa lutte contre la crasse.

— Oui, Mma ? s'enquit l'apprenti. Mma Makutsi m'a dit que vous aviez besoin de mes conseils. Moi, ça me fait toujours plaisir de donner des conseils. Eh, eh !

Mma Ramotswe ignora le commentaire.

— Lis ça, s'il te plaît, commanda-t-elle. J'aimerais avoir ton opinion.

Elle lui tendit le journal en désignant l'article et l'apprenti s'installa sur une chaise. Tandis qu'il lisait, ses lèvres bougeaient, et Mma Ramotswe observa l'air de concentration qui marquait son visage. Il ne lit jamais de journaux, pensa-t-elle. Il n'y a rien dans ce cerveau-là, à part des images de filles et de voitures.

Lorsqu'il eut terminé, l'apprenti releva la tête.

— Ça y est, j'ai lu, déclara-t-il en rendant le journal à Mma Ramotswe.

Elle remarqua les traces de doigts noires imprimées sur les bords du papier et prit soin de les éviter.

— Alors, Charlie, qu'est-ce que tu en penses ? interrogea-t-elle.

Il haussa les épaules.

— Ça me fait de la peine, Mma, répondit-il. Ça m'embête pour vous.

— Ça t'embête ?

— Oui. Ça m'embête parce que ça va vous poser des problèmes pour l'agence. Tout le monde va vouloir aller chez ce type, maintenant.

— Tu as donc été impressionné ?

Il sourit.

— Évidemment ! C'est un gars très intelligent. New York, vous vous rendez compte ? Et Johannesburg ! Ces grandes villes… Il sait de quoi il parle et il va avoir plein de travail. Je suis désolé parce que je ne veux pas que toutes les enquêtes soient pour lui.

— Tu es un garçon loyal, commenta Mma Ramotswe.

Et c'est là le problème ! ajouta-t-elle en son for intérieur tandis que l'apprenti se levait pour quitter la pièce.

— Eh bien, Mma, dit-elle en se tournant vers Mma Makutsi lorsqu'il fut sorti. Cela nous fournit des indications, non ?

L'assistante balaya l'air de la main.

— Ce garçon est idiot, nous le savons. Il ne faut pas croire ce qu'il raconte.

— Il n'est pas si idiot que cela, répliqua Mma Ramotswe. Pour obtenir son contrat d'apprentissage, il a dû passer des examens. Il se situe donc dans la moyenne parmi les jeunes de son âge. Alors, vous voyez, beaucoup, beaucoup de gens vont être impressionnés par ce Mr. Buthelezi. Et nous ne pouvons rien y faire.

Beaucoup de gens peut-être, mais pas tout le monde. Cet après-midi-là, alors que Mma Makutsi était partie à la mairie consulter le registre des naissances, des décès et des mariages pour le compte d'un client, Mma Ramotswe reçut la visite d'une femme dont l'opinion sur l'Agence Satisfaction Garantie et son prétentieux propriétaire se situait à l'opposé de celle de l'apprenti. Elle arriva dans une belle voiture neuve, qu'elle gara juste devant la porte de l'agence, et attendit poliment que Mma Ramotswe remarque sa présence pour franchir le seuil. Cette retenue faisait toujours plaisir à Mma Ramotswe ; elle ne pouvait supporter les manières modernes, qui vous autorisaient à pénétrer dans une pièce avant d'y avoir été invité, ou, pis encore, les gens qui s'autorisaient à entrer chez vous à leur guise et à s'asseoir sur votre bureau pour vous parler. Si un tel malotru se présentait, Mma Ramotswe s'interdirait d'ouvrir la bouche et elle garderait les yeux rivés sur le postérieur posé sur la table jusqu'à ce que l'intrus remarque sa désapprobation et libère le bureau.

La visiteuse était une femme d'une quarantaine d'années, l'âge de Mma Ramotswe, ou peut-être plus jeune. Elle était habillée avec goût, mais sans ostentation ; ses vêtements, associés à la voiture neuve garée à l'extérieur, indiquèrent à Mma Ramotswe tout ce qu'elle avait besoin de savoir sur sa situation financière. Cette femme, songea la détective, devait être cadre dans la fonction publique, ou même femme d'affaires. En tout cas, elle gagnait bien sa vie.

— Je n'ai pas pris rendez-vous, Mma, commença-t-elle, mais j'espérais que vous pourriez me recevoir quand même.

Mma Ramotswe sourit.

— Je suis toujours ravie d'avoir de la visite, Mma. Il n'est pas nécessaire de prendre rendez-vous. Cela me fait plaisir de parler, quelle que soit l'heure… dans les limites du raisonnable, bien sûr.

La femme accepta l'invitation à prendre un siège. Elle n'avait pas donné son nom, bien qu'elle eût respecté à la lettre les règles de politesse. Sans doute ne tarderait-elle pas à le faire.

— Je vais être franche, Mma, déclara-t-elle. Je n'ai aucune confiance dans les détectives privés. Je dois vous le dire.

Mma Ramotswe leva un sourcil. Si cette dame ne faisait pas confiance aux détectives privés, pourquoi venir à l'Agence N° 1 des Dames Détectives, dont l'intitulé était, semblait-il, suffisamment clair ?

— Je suis navrée de l'entendre, Mma, répondit-elle. Peut-être pourriez-vous m'expliquer pourquoi ?

Son interlocutrice parut embarrassée.

— Je ne voulais pas être impolie, Mma, se reprit-elle. Seulement, je viens d'avoir une expérience désagréable avec une agence de détectives. C'est ce qui explique mon état d'esprit.

Mma Ramotswe hocha la tête.

— L'Agence Satisfaction Garantie ? Mr. Buthele…

Elle n'eut pas le temps d'achever.

— Oui, coupa la femme. Ah, cet individu ! Comment ose-t-il se qualifier de détective privé, je me le demande !

Mma Ramotswe fut intriguée. Elle eût aimé avoir Mma Makutsi à ses côtés, pour le plaisir de partager avec elle ce que son interlocutrice s'apprêtait à exposer. Des révélations qui s'annonçaient savoureuses ! pensa-t-elle. Avant de laisser la visiteuse s'expliquer, toutefois, l'idée lui vint qu'elle pourrait lancer une offre, au nom de la profession tout entière. Oui, c'était la meilleure chose à faire dans les circonstances présentes.

— Laissez-moi vous dire une chose, Mma, déclara-t-elle en levant une main. Si vous avez souffert à cause de l'un de mes confrères — et je dois vous avouer que cela ne m'étonne nullement —, sachez que l'Agence N° 1 des Dames Détectives prendra à sa charge l'enquête que Mr. Buthe… que cet homme n'a manifestement pas traitée comme il le fallait. C'est l'offre que je vous fais.

La femme parut impressionnée.

— Vous êtes très bonne, Mma. Je ne m'y attendais pas en venant ici, mais j'accepte votre proposition avec joie. Je vois que les choses sont différentes dans cette agence.

— C'est vrai, acquiesça paisiblement Mma Ramotswe. Nous ne faisons pas de promesses que nous ne pouvons tenir. Nous ne sommes pas comme ça.

— Bien. À présent, laissez-moi vous expliquer ce qui s'est passé.

Elle s'était rendue à l'agence de Mr. Buthelezi après avoir lu sa publicité dans le journal. Le détective s'était montré courtois avec elle, même si elle l'avait trouvé un peu… écrasant.

— Mais je me suis dit que cela devait avoir un rapport avec son nom, ajouta-t-elle en scrutant Mma Ramotswe.

Celle-ci hocha la tête imperceptiblement. Il fallait mesurer ses paroles, mais tout le monde comprenait : on savait comment pouvaient être les Zoulous. Peut-être le terme juste était-il… euh… *arrogant*, ou encore, si l'on était plus charitable, *très sûr de lui*. Mais, bien entendu, on évitait d'exprimer ouvertement ce genre de jugement. Mr. Buthelezi se présentait comme un Motswana, et non comme un Zoulou, mais on ne pouvait écarter d'un revers de main l'ascendance paternelle, surtout lorsqu'on était un homme. Il fallait se rendre à l'évidence, estimait Mma Ramotswe : les garçons héritaient plus de leur père que de leur mère. Pouvait-on sérieusement douter d'une telle évidence ? Certaines personnes, apparemment, n'en étaient pas convaincues, mais elles se trompaient.

La femme poursuivit en exposant le motif qui l'avait poussée, au départ, à aller trouver Mr. Buthelezi.

— J'habite Mochudi, mais je suis née à Francistown. Je suis kinésithérapeute à l'hôpital. Je travaille avec des gens qui se sont cassé un membre ou qui se relèvent d'une grave maladie et ont besoin de réapprendre à marcher. C'est une des choses que nous faisons, mais il y en a d'autres. C'est un très bon métier.

— Et un métier très important, renchérit Mma Ramotswe. Vous pouvez être fière d'être kinésithérapeute, Mma.

La femme acquiesça.

— Je le suis. Enfin, je vis à Mochudi parce que j'y exerce. J'ai également quatre enfants, qui sont très contents d'aller à l'école dans cette ville. Le seul problème, c'est que mon mari travaille ici, dans la capitale, et qu'il n'aime pas faire le trajet en voiture tous les matins et tous les soirs. Nous avons donc investi nos économies dans un petit appartement. Comme je bénéficie d'un logement de fonction à Mochudi, cela nous a paru un bon arrangement.

Ce fut en entendant ces paroles que Mma Ramotswe comprit ce qui allait suivre. Depuis qu'elle avait ouvert l'Agence N° 1 des Dames Détectives, elle avait reçu un afflux régulier de demandes d'enquêtes sur des époux dévoyés, ou soupçonnés de l'être. Ces craintes féminines se révélaient généralement fondées et Mma Ramotswe avait dû se faire la messagère de ces infidélités plus souvent qu'elle ne l'eût souhaité. Toutefois, cela faisait partie du métier et elle s'en acquittait avec dignité et compassion. Il ne faisait aucun doute à présent que cette nouvelle cliente s'apprêtait à exposer des soupçons de cet ordre : les maris qui travaillaient loin de chez eux n'étaient pas sages, même si certains, peu nombreux, le restaient.

Mma Ramotswe ne s'était pas trompée. La femme lui exposait à présent les craintes que lui inspirait son époux, ajoutant qu'elle était sûre, désormais, qu'il voyait une autre femme.

— J'avais l'habitude de lui téléphoner le soir, expliqua-t-elle. Nous évoquions ce qui s'était passé dans la journée et les enfants lui parlaient aussi. Cela revenait cher, mais il me paraissait important que les enfants parlent à leur papa. Seulement maintenant, il n'est plus chez lui quand j'appelle. Il dit que c'est parce qu'il adore marcher et qu'il sort se promener, mais c'est absurde. Je suis sûre que c'est un mensonge.

— En tout cas, cela y ressemble, répondit Mma Ramotswe. Il y a des hommes qui ne savent pas mentir.

La femme avait parlé de ses inquiétudes à Mr. Buthelezi et le détective lui avait promis d'étudier l'affaire, en lui demandant de reprendre contact avec lui un ou deux jours plus tard. Il avait dit qu'il suivrait le mari et pourrait ainsi informer sa cliente de ce qui se passait.

— A-t-il tenu parole ? demanda Mma Ramotswe, qui brûlait de savoir comment travaillait son rival.

— Il m'a affirmé que oui. Mais je ne le crois pas. Il m'a dit qu'il avait suivi mon mari et que celui-ci allait à l'église. C'est totalement ridicule. Mon mari ne fréquente pas les églises. J'ai essayé cent fois de l'y entraîner, mais il est paresseux. Quand il est rentré à la maison, le week-end dernier, je lui ai dit : « Si nous allions à l'église dimanche matin ? » Il m'a répondu que cela ne l'intéressait pas. S'il était vraiment devenu pratiquant, il aurait envie d'y aller aussi le dimanche. Pour moi, c'est une preuve.

Mma Ramotswe ne put qu'acquiescer.

— Mais il y a autre chose, poursuivit la femme. J'avais payé une grosse somme d'avance, et quand j'ai demandé à en récupérer une partie, Mr. Buthe… enfin, cet homme a refusé. Il m'a dit que l'argent était à lui maintenant. Je suis donc venue chez vous.

Mma Ramotswe sourit.

— Je ferai mon possible. Je vais voir si cette histoire d'église est vraie et, si ce n'est pas le cas — et je reconnais que cela ne semble pas très plausible —, je découvrirai ce qu'il fait vraiment et je vous le dirai.

Elles discutèrent encore d'un ou deux détails et Mma Ramotswe nota le nom et l'adresse du mari, ainsi que son lieu de travail.

— Je vous ai aussi apporté une photo, ajouta la femme. Cela vous aidera à le reconnaître.

Elle lui tendit le cliché en noir et blanc d'un homme qui fixait l'objectif. Mma Ramotswe y jeta un coup d'œil et vit un monsieur bien habillé au sourire engageant, avec une moustache et des cheveux soigneusement séparés en leur milieu par une raie. Bien qu'elle ne l'ait encore jamais vu, elle songea qu'il serait facile à repérer dans une foule.

— Cela me sera très utile, Mma, déclara-t-elle. Quand les clients ne nous fournissent pas de photographies, notre travail se révèle beaucoup plus compliqué.

Mma Selelipeng se leva.

— Je suis très en colère contre lui, dit-elle. Mais je sais qu'une fois que j'aurai trouvé celle qui cherche à me voler mon mari, elle aura affaire à moi. Je lui donnerai une bonne leçon.

Mma Ramotswe fronça les sourcils.

— Vous ne devez rien faire d'illégal, avertit-elle. Si c'est votre intention, je ne suis pas disposée à vous aider.

Mma Selelipeng leva les deux mains en un geste horrifié.

— Oh non, Mma, je ne ferai rien de tel ! Je compte juste lui parler. Pour la mettre en garde. C'est tout. Vous ne pensez pas que toute épouse a le droit de faire ça ?

Mma Ramotswe hocha la tête. Elle n'avait pas de temps à perdre avec les voleuses de maris ni avec les hommes infidèles. Les gens avaient le droit de protéger ce qui leur appartenait, mais elle était bienveillante et comprenait les faiblesses humaines. Ce Mr. Bernard Selelipeng avait sans doute seulement besoin qu'on lui rappelle gentiment ses devoirs d'époux et de père de famille. Un nouveau regard à la photographie suffit à l'en convaincre. Ce n'était pas un visage volontaire, estima-t-elle. Ce n'était pas le visage d'un homme prêt à quitter sa femme pour de bon. Il reviendrait, comme un galopin surpris en train de voler des melons. Mma Ramotswe en était convaincue.

CHAPITRE XVI

Crevaison pour Mma Ramotswe ;
cinéma avec Mr. Bernard Selelipeng
pour Mma Makutsi

Ce soir-là, Mma Ramotswe rentrait à Zebra Drive, empruntant son trajet habituel depuis Tlokweng Road. Elle venait de s'engager dans Odi Drive lorsque la petite fourgonnette blanche se mit à dévier vers la gauche. Mma Ramotswe songea un instant à un problème de direction et reporta tout son poids vers la droite, mais sans résultat. Un bruit bizarre s'éleva soudain de l'arrière du véhicule, une sorte de grincement, comme du métal rayant la pierre, et elle comprit qu'un pneu venait de crever. Elle se sentit à la fois rassurée et contrariée. Rassurée, parce que le problème était facile à résoudre, pour peu que l'on eût une roue de secours, bien sûr. Malheureusement, elle n'en avait pas. Elle avait demandé à l'un des apprentis de l'enlever pour la regonfler et l'avait vue, posée contre le mur du garage, cet après-midi même. Elle s'apprêtait à la remettre à sa place dans la voiture, lorsque Mma Makutsi l'avait appelée pour prendre un appel téléphonique à l'agence. La roue de secours était donc restée au Tlokweng Road Speedy Motors, et elle se retrouvait là, au bord de la route, où l'objet eût été bien utile.

Elle ressentit une irritation passagère contre elle-même. On n'avait vraiment aucune excuse à prendre la route sans roue de secours à bord. Avec tous ces cailloux pointus, ces clous et autres, les pneus crevaient sans cesse. Si la mésaventure était arrivée à un autre, Mma Ramotswe n'aurait pas hésité à déclarer : « Voyez-vous, ça n'est pas très intelligent de partir en voiture sans roue de secours. » Or, voilà qu'elle se retrouvait dans cette situation ! Ah, il y avait de quoi s'en vouloir !

Elle se gara sur la droite pour ne pas gêner la circulation, bien qu'il n'y en eût guère sur cette route résidentielle et paisible. Puis elle regarda autour d'elle. Elle n'était pas très loin de Zebra Drive — une demi-heure de marche au plus — et elle pourrait tout à fait rentrer chez elle et attendre l'arrivée de Mr. J.L.B. Matekoni. Alors, ils iraient ensemble secourir la petite fourgonnette blanche. Autre possibilité, qui semblait plus sensée, dans la mesure où elle évitait un trajet inutile : téléphoner au Tlokweng Road Speedy Motors, où son fiancé travaillait encore à cette heure tardive, et lui demander de prendre la roue de secours avant de partir pour Zebra Drive.

Elle étudia les environs. Il y avait une cabine publique dans le centre commercial, au bout de la rue, ou encore — et cela semblait la solution évidente — la maison du Dr Moffat, non loin du lieu où était stationnée la petite fourgonnette blanche. Le Dr Moffat, qui avait aidé Mr. J.L.B. Matekoni à vaincre sa dépression, habitait avec son épouse dans une maison vieillotte entourée d'un jardin de dimensions généreuses, dont Mma Ramotswe poussait à présent la grille d'une main anxieuse, consciente qu'il fallait toujours se méfier des chiens dans les lieux comme celui-ci. Elle ne perçut toutefois aucun aboiement hostile, seulement la voix étonnée de Mrs. Moffat, qui émergea de derrière un arbuste qu'elle était occupée à tailler.

— Mma Ramotswe ! Vous n'avez pas votre pareille pour prendre les gens par surprise !

Mma Ramotswe sourit.

— Je ne suis pas venue pour le travail, expliqua-t-elle. Je suis ici parce que ma fourgonnette, qui est là-bas, a un pneu crevé et que j'ai besoin de téléphoner à Mr. J.L.B. Matekoni. Cela ne vous ennuie pas, Mma ?

Mrs. Moffat glissa le sécateur dans sa poche.

— Vous allez téléphoner tout de suite, dit-elle. Et ensuite, nous prendrons une tasse de thé en attendant Mr. J.L.B. Matekoni.

Elles gagnèrent la maison, d'où Mma Ramotswe appela Mr. J.L.B. Matekoni, lui raconta son infortune et lui expliqua où elle se trouvait. Puis, invitée à rejoindre la femme du médecin sur la véranda, elle s'assit près d'elle à une petite table et les deux femmes se mirent à bavarder.

Les sujets de conversation ne manquaient pas. Mrs. Moffat avait vécu à Mochudi, dont son mari dirigeait autrefois le petit hôpital, et elle avait connu Obed Ramotswe et de nombreuses familles amies des Ramotswe. Mma Ramotswe aimait par-dessus tout évoquer ce temps-là, depuis longtemps révolu, mais si important pour comprendre la femme qu'elle était.

— Vous vous souvenez du chapeau de mon père ? interrogea-t-elle en versant du sucre dans son thé. Il a porté le même pendant des années. Il était très vieux.

— Oui, je m'en souviens, répondit Mrs. Moffat. Le docteur disait toujours que c'était un chapeau très sage.

Mma Ramotswe se mit à rire.

— Je suppose qu'un chapeau voit beaucoup de choses, acquiesça-t-elle. Il doit en savoir long…

Elle s'interrompit. Elle venait de se souvenir du jour où son père avait perdu son chapeau. Il l'avait enlevé pour une raison quelconque et avait oublié où il l'avait laissé. Durant une grande partie de la journée, il avait parcouru Mochudi de long en large en tentant de se rappeler où il avait bien pu l'abandonner, demandant aux passants s'ils ne l'avaient pas vu. Puis, enfin, on l'avait retrouvé sur un muret, près du *kgotla*[1], posé là par une personne qui avait dû le ramasser sur la route. Les gens de Gaborone placeraient-ils en sécurité un chapeau trouvé sur la route ? Elle était persuadée que non. De nos jours, on ne prenait pas soin des chapeaux d'autrui comme on le faisait à l'époque, n'est-ce pas ? Non, évidemment.

— Mochudi me manque, soupira Mrs. Moffat. Je regrette ces petits matins où nous écoutions les cloches du bétail. Je regrette les chants des enfants rentrant de l'école, qui nous parvenaient quand le vent soufflait dans la bonne direction.

— Mochudi est une bonne ville, renchérit Mma Ramotswe. Cela me manque de ne plus entendre les gens parler des toutes petites choses.

— Comme les chapeaux ? hasarda Mrs. Moffat.

— Oui, comme les chapeaux. Et les vaches. Et les bébés qui viennent de naître, avec les prénoms qu'on leur donne. Toutes ces choses.

Mrs. Moffat emplit de nouveau les tasses de thé et, pendant quelques minutes, elles gardèrent le silence, plongées dans leurs réflexions respectives. Mma Ramotswe pensait à son père, à Mochudi, à son

1. Salle communale de construction batswana traditionnelle, où se réunit le conseil municipal. *(N.d.T.)*

enfance et au bonheur qu'elle connaissait alors, malgré l'absence de mère. Et Mrs. Moffat songeait à ses parents, et surtout à son père, un peintre qui était devenu aveugle, et à la difficulté que ce devait être de se mouvoir dans un monde de ténèbres.

— J'ai des photographies qui pourraient vous intéresser, lança Mrs. Moffat au bout d'un moment. Des photographies de Mochudi en ce temps-là. Vous devez connaître les gens qu'il y a dessus.

Elle s'éclipsa dans le salon et revint, chargée d'une grande boîte en carton.

— Je voulais coller tout ça dans des albums, expliqua-t-elle, mais je n'ai jamais trouvé le temps de le faire. Il faudrait que je m'y mette un jour.

— Je suis comme vous, répondit Mma Ramotswe. Je finirai par le faire un jour.

Elles prirent les photographies et les examinèrent une à une. Il y avait des gens dont Mma Ramotswe se souvenait très bien. Là, c'était Mrs. de Kok, la femme du missionnaire, devant un rosier, là, la maîtresse d'école, qui décernait un prix à un petit enfant. Là, c'était le docteur, qui jouait au tennis. Et là, parmi un groupe d'hommes photographiés devant le *kgotla*, il y avait Obed Ramotswe en personne, avec son chapeau. À sa vue, Mma Ramotswe retint son souffle.

— Ici, dit Mrs. Moffat, c'est votre père, non ?

Mma Ramotswe hocha la tête.

— Prenez-la, reprit Mrs. Moffat en lui tendant le cliché.

Mma Ramotswe accepta le cadeau avec reconnaissance, puis elles regardèrent d'autres photographies.

— Qui est-ce ? interrogea Mma Ramotswe en désignant une vieille femme en train de jouer aux cartes avec les enfants Moffat dans un coin ombragé du jardin.

— C'est la mère du docteur, répondit Mrs. Moffat.

— Et cette personne, debout derrière eux ? Cet homme qui regarde l'objectif ?

— C'est quelqu'un qui vient séjourner chez nous de temps en temps, répondit Mrs. Moffat. Il écrit des livres.

Mma Ramotswe examina l'image de plus près.

— On dirait qu'il me regarde, dit-elle. Et qu'il me sourit.

— C'est vrai, acquiesça Mrs. Moffat. Et c'est peut-être le cas...

Mma Ramotswe se pencha de nouveau sur la photographie de son père que lui avait donnée Mrs. Moffat. Oui, c'était bien son sourire ; hésitant d'abord, puis de plus en plus épanoui. Et son chapeau, bien sûr... Elle se demanda à quelle occasion la photo avait été prise, et pourquoi ces gens se tenaient à la grille du *kgotla* ; le docteur devait le savoir, puisque c'était sans doute lui qui avait appuyé sur le déclencheur. Peut-être cela avait-il un rapport avec l'hôpital : on faisait des collectes et l'on tenait des réunions. Ce pouvait être ça.

Sur la photographie, tout le monde était tiré à quatre épingles malgré le soleil qui tapait, et chacun fixait l'objectif avec *courtoisie*, dans une attitude d'attention morale. C'étaient là les manières du Botswana d'autrefois — considérer autrui de cette façon — et ces manières disparaissaient, tout comme ce monde-là, tout comme les gens saisis sur le cliché. Elle caressa du doigt le papier glacé, brièvement, comme pour établir une communication, pour toucher ces hommes. En faisant cela, elle sentit ses yeux s'emplir de larmes.

— Je vous prie de m'excuser, Mma, dit-elle à Mrs. Moffat. Je pense à ce vieux Botswana qui est en train de mourir.

— Je comprends, répondit Mrs. Moffat en prenant la main de son amie. Mais nous, nous le gardons en mémoire, n'est-ce pas ?

Et elle pensa, oui, cette femme, la fille d'Obed Ramotswe, que tout le monde considérait comme quelqu'un de bien, n'oublierait pas ces choses qui faisaient le Botswana de jadis, qui faisaient ce pays qui avait été — et continuait à être — un phare pour l'Afrique, un pays d'intégrité et de générosité, à la fois pour les petites choses et pour les grandes.

Ce soir-là, le cours de dactylographie fut particulièrement réussi. Mma Makutsi avait préparé un exercice en vue de déterminer la vitesse de frappe de ses élèves et les résultats l'avaient ravie. Certes, il y avait un ou deux hommes qui ne s'en sortaient pas, et l'un d'eux avait même parlé de renoncer, mais le reste de la classe l'avait convaincu de persévérer. La plupart, cependant, avaient travaillé dur et ils commençaient à sentir les bénéfices de la pratique et de l'enseignement prodigué par cette experte qu'était Mma Makutsi. Mr. Bernard Selelipeng se débrouillait très bien et, sur la seule base de ses mérites, il avait remporté le record de la classe en nombre de mots par minute.

— C'est très bien, Mr. Selelipeng, déclara Mma Makutsi en notant son score.

Elle était déterminée à maintenir leurs relations professionnelles sur un plan formel, même si, lorsqu'elle s'adressait à lui, elle se sentait envahie de sentiments très doux pour cet homme qui lui témoignait tant de respect et d'admiration. Lui, de son côté, la traitait en professeur, et non en petite amie. Il n'y avait ni familiarité ni attente de traitement de faveur.

Quand le cours fut terminé et qu'elle eut fermé la salle, Mma Makutsi sortit le retrouver dans sa voiture, où il l'attendait comme convenu. Il proposa d'aller au cinéma et de terminer ensuite la soirée dans un café, où ils mangeraient quelque chose. L'idée plut beaucoup à Mma Makutsi et elle savoura la perspective de se retrouver assise au cinéma à côté d'un homme, comme la plupart des autres femmes, au lieu d'y aller seule, ce qui était son lot, d'ordinaire.

Le film était plein de gens idiots et très riches qui vivaient dans un luxe inimaginable, mais Mma Makutsi ne s'y intéressa guère et ne parvint pas à se concentrer sur l'écran. Ses pensées étaient avec Mr. Bernard Selelipeng qui, au milieu de la séance, glissa sa main dans celle de la jeune femme et lui chuchota quelques mots enivrants à l'oreille. Elle se sentit très émue et très heureuse. Le romantisme entrait enfin dans sa vie, après toutes ces années et toute cette attente. Un homme était venu à elle pour donner un nouveau sens à son existence. Cette impression — ou cette illusion —, si fréquente chez les amoureux, d'une transformation personnelle, agissait puissamment sur elle et elle fermait les yeux sous l'effet du plaisir et du sentiment de plénitude. Elle allait le rendre heureux, cet homme qui se montrait si attentionné avec elle.

Après le cinéma, ils s'installèrent dans un café et commandèrent un repas. Puis, assis à une table proche de la porte d'entrée, ils se parlèrent d'eux, les mains jointes sous la table. Ils en étaient là lorsque Mma Ramotswe arriva, accompagnée de Mr. J.L.B. Matekoni. Mma Makutsi présenta son ami à Mma Ramotswe, qui sourit et salua poliment.

Mma Ramotswe et Mr. J.L.B. Matekoni ne restèrent pas longtemps dans le café.

— Tu as l'air bouleversée, dit Mr. J.L.B. Matekoni à Mma Ramotswe alors qu'ils repartaient vers la camionnette.

— Je suis très triste, répondit Mma Ramotswe. Je viens de tirer quelque chose au clair, mais je suis trop contrariée pour en parler. S'il te plaît, ramène-moi à la maison, Mr. J.L.B. Matekoni. Je suis si triste…

CHAPITRE XVII

À la recherche de Tebogo

Oui, pensait Mma Ramotswe, le monde est parfois bien décourageant ! Toutefois, on ne pouvait passer son temps à songer aux choses qui n'allaient pas ou qui risquaient de mal tourner. Une telle attitude n'avait aucun intérêt, car elle rendait les situations encore pires qu'elles n'étaient. Il restait beaucoup de raisons de se sentir reconnaissant, quels que fussent les chagrins de ce monde. De plus, ressasser les épreuves et les souffrances de l'existence prenait du temps et les tâches ordinaires devaient être accomplies : il fallait gagner sa vie, ce qui, dans le cas de Mma Ramotswe, signifiait s'occuper de Mr. Molefelo et de sa conscience. Il y avait déjà plus d'une semaine qu'elle avait retrouvé Mma Tsolamosese, ce qui s'était révélé la partie la plus simple de l'enquête. À présent, il importait de rechercher Tebogo, la jeune fille que Mr. Molefelo avait traitée avec si peu d'égards.

Les renseignements dont elle disposait étaient maigres, mais si Tebogo était bel et bien devenue infirmière, son nom avait dû être enregistré quelque part et devait l'être encore. Cela servirait de point de départ et ensuite, si Mma Ramotswe ne trouvait rien de ce côté, il resterait plusieurs orientations possibles. Tebogo était originaire de Molepolole, lui avait dit Mr. Molefelo. Mma Ramotswe pourrait se rendre là-bas pour rencontrer des gens qui avaient connu la famille.

Il ne lui fallut guère de temps pour épuiser la première piste. Une fois localisé le fonctionnaire chargé de la formation des infirmières, il fut facile de savoir si une élève de ce nom avait été répertoriée comme infirmière au Botswana. La réponse était non, ce qui signifiait soit que Tebogo n'avait jamais suivi les cours, soit qu'elle n'avait pas obtenu son diplôme. Mma Ramotswe demeura pensive : peut-être la liaison de Tebogo avec Mr. Molefelo avait-elle eu, dans la vie de la jeune fille, des répercussions bien plus importantes qu'elle ne l'avait imaginé. L'existence des êtres est fragile ; on ne peut y interférer sans prendre le risque de transformer profondément les individus. Une remarque anodine, une intrusion irréfléchie faisaient parfois la différence entre une vie de bonheur et une vie de chagrin.

Une escapade à Molepolole ne serait pas déplaisante, et elle donnerait à Mma Ramotswe l'occasion de bavarder avec quelques amies qu'elle avait conservées là-bas. L'une d'elles, en particulier, était une employée de banque à la retraite qui connaissait tout le monde en ville. Sans doute serait-elle à même de lui parler de la famille de Tebogo. Peut-être Tebogo était-elle revenue vivre à Molepolole et Mma Ramotswe pourrait-elle lui rendre visite. Cela réclamerait un certain tact, surtout si l'intéressée s'était mariée. Il était probable qu'elle n'aurait pas parlé du bébé à son époux, car les hommes se montraient parfois possessifs et déraisonnables sur ces sujets. Eux, bien sûr, n'avaient pas à porter les petits sur leur dos durant les premières années, ils n'avaient pas à répondre chaque jour, chaque heure, chaque minute, aux besoins des enfants ; et pourtant, certains d'entre eux tenaient des discours très fermes sur la question.

Elle choisit une belle journée pour partir, un matin où l'air était vif et clair, le soleil pas trop chaud. Tout en conduisant, elle repensa aux événements des derniers jours, et en particulier à la liaison de Mma Makutsi avec Mr. Bernard Selelipeng. Cette découverte l'avait bouleversée sur le moment et, le lendemain matin, sa consternation avait atteint son comble lorsque Mma Makutsi s'était mise à lui parler abondamment de Mr. Selelipeng et du couple si bien assorti qu'ils formaient tous les deux.

— Je vous en aurais bien parlé plus tôt, avait-elle expliqué à son employeur, mais je voulais d'abord être sûre que notre histoire allait durer. Je ne voulais pas vous raconter que j'avais trouvé l'homme de ma vie, pour avoir à vous avouer une semaine plus tard que tout était fini. Je n'en avais pas envie.

À ces mots, les appréhensions de Mma Ramotswe avaient redoublé. Il y avait beaucoup à dire sur les vertus de la franchise ; elle pourrait très bien révéler tout de suite la vérité à Mma Makutsi et, d'ailleurs, ne pas le faire revenait à lui taire des informations que cette dernière était en droit de connaître. Ne se sentirait-elle pas trahie, songeait Mma Ramotswe, lorsqu'elle s'apercevrait qu'elle, Mma Ramotswe, avait su depuis le début que Mr. Selelipeng était marié et qu'elle ne lui en avait rien dit ? Si l'on ne pouvait obtenir une telle information d'une amie ou d'une collègue, qui était censé la fournir ? Cependant, lui faire d'emblée une telle révélation semblait trop brutal et empêcherait d'agir en amont — d'une manière ou d'une autre — pour atténuer le choc de cette découverte.

Il faudrait y réfléchir encore, même si Mma Ramotswe savait qu'au bout du compte il y aurait une inévitable déception pour Mma Makutsi, que l'on ne pourrait préserver à jamais de la vérité. Mais au fait, pensa-t-elle, qui me dit qu'elle ne le sait pas ? Mma Ramotswe était partie du principe que Mr. Selelipeng avait induit Mma Makutsi en erreur en se déclarant célibataire ou divorcé, mais rien ne prouvait que c'était le cas. Et si Mma Makutsi savait qu'il existait une épouse et des enfants quelque part ? Était-ce plausible ? Si elle désespérait de trouver l'âme sœur, une personne pouvait très bien accepter de jeter son dévolu sur le premier candidat venu, même si ce candidat était marié. Maintenant qu'elle y songeait, elle se souvenait de nombreux cas de femmes que cela n'avait pas dérangées de sortir avec un homme marié, espérant peut-être arracher ce dernier à son épouse, ou sachant très bien que cela n'arriverait pas, mais résolues à prendre du bon temps là où c'était possible. Les hommes, de leur côté, faisaient la même chose, même s'ils semblaient moins enclins à partager une femme avec un rival. Elle connaissait de nombreux messieurs qui entretenaient des liaisons avec des femmes mariées, dont ils savaient qu'elles ne quitteraient jamais leur époux.

Mma Makutsi ferait-elle une chose pareille ? se demanda-t-elle. Elle se souvint de la conversation gênée qu'elles avaient eue, il n'y avait pas si longtemps, lorsque Mma Makutsi avait souligné d'un ton désespéré qu'il était inutile de tenter de rencontrer des hommes dans les bars, dans la mesure où ceux qui les fréquentaient étaient tous mariés. Elle devait donc considérer ceux-ci comme hors jeu. Et cependant, face à l'un d'entre eux, surtout s'il était charmant, avec la raie au milieu et un sourire dévastateur, ne pouvait-elle pas décider que, même marié, il incarnait peut-être sa chance malgré tout ? Le temps passait pour Mma Makutsi. Bientôt, les hommes jeunes ne la regarderaient même plus et il ne lui resterait que la possibilité d'en épouser un vieux. Peut-être désespérait-elle de trouver le bonheur ? Peut-être connaissait-elle parfaitement la situation de Mr. Bernard Selelipeng ? Mais non. Non, songea Mma Ramotswe, c'était impossible. Elle ne m'aurait pas parlé avec un tel enthousiasme si elle avait su que la relation ne pourrait aller très loin. Elle aurait paru sur ses gardes, ou résignée, ou même triste. En tout cas, pas enthousiaste.

Mma Ramotswe se réjouit de devoir mettre de côté ces troublantes pensées. Elle était arrivée à Molepolole et engageait la petite fourgonnette blanche sur le mauvais chemin qui menait à la maison de sa vieille amie, Mma Ntombi Boko, ancienne caissière en chef de la Standard Bank de Gaborone, un poste qu'elle avait quitté à l'âge de cinquante-quatre ans pour prendre sa retraite à Molepolole, où elle animait désormais la branche locale de l'Association des femmes rurales du Botswana.

Elle trouva Mma Boko sur un côté de la maison, assise sous un auvent de toile installé pour créer un porche de fortune. Un petit four de brique avait été construit là, sur lequel reposait une grande marmite noircie.

L'accueil de Mma Boko fut chaleureux.

— Precious Ramotswe ! s'exclama-t-elle. Oui, c'est bien toi ! Je te vois de mes yeux, Mma !

— C'est moi, confirma Mma Ramotswe. Je suis venue te voir.

— Je suis bien contente ! reprit Mma Boko. J'étais là, en train de remuer cette confiture, et je me disais : Mais où sont les gens aujourd'hui ? Pourquoi est-ce que personne ne vient bavarder avec moi ?

— Et c'est à ce moment-là que je suis arrivée, compléta Mma Ramotswe. Juste au bon moment.

Elle savait son amie bavarde. Pour celle-ci, une journée passée sans occasions d'échanger et de commenter les dernières nouvelles faisait figure d'épreuve. Bien sûr, ses bavardages n'étaient pas mal intentionnés ; Mma Boko ne disait de mal de personne, mais elle était extrêmement intéressée par ce que faisaient les gens. Impressionnées par les oraisons funèbres qu'elle prononçait aux enterrements, où chacun avait le droit de se lever pour évoquer le défunt, ses amies avaient tenté de la convaincre de se présenter aux élections, mais elle avait repoussé cette idée en affirmant qu'elle aimait parler de choses intéressantes et que l'on ne parlait jamais de choses intéressantes au Parlement.

— Ils passent leur temps à discuter d'argent, de routes ou de sujets de ce genre. Bien sûr, c'est important et il faut des gens pour en parler, mais laissons ça aux hommes. Nous autres femmes, nous avons des questions plus importantes à traiter.

— Non, non, Mma, avaient protesté ses amies. C'est justement la mauvaise attitude ! Les hommes veulent que nous pensions ça ! Ils veulent nous laisser croire que les choses qu'ils discutent ne concernent pas vraiment les femmes. Mais c'est tout le contraire ! Elles nous concernent ! Et si nous laissons les hommes en parler et prendre les décisions, nous allons nous réveiller un jour pour nous apercevoir qu'ils ont tout arrêté et que ces nouvelles mesures leur conviennent bien mieux qu'à nous !

Mma Boko avait longuement réfléchi.

— Ce que vous dites n'est pas faux, avait-elle enfin répondu. À la banque, toutes les décisions étaient prises par des hommes. On ne me demandait jamais mon avis.

— Vous voyez ! s'étaient exclamées les femmes. Vous voyez comment cela fonctionne. Ils font toujours la même chose, les hommes. Nous, les femmes, nous devons nous lever et prendre la parole.

Mma Ramotswe examina la confiture que préparait Mma Boko et saisit la petite cuillère que son amie lui tendait pour y goûter.

— Elle est bonne, commenta-t-elle. Je dirais même que c'est la meilleure du Botswana.

Mma Boko secoua la tête.

— Il y a ici, à Molepolole, des femmes qui en font de bien meilleures. Un jour, je t'en apporterai et tu verras.

— Je ne peux pas croire qu'elles seront meilleures que la tienne, persista Mma Ramotswe en léchant la cuillère.

Elles s'assirent pour bavarder. Mma Boko parla de ses petits-enfants, au nombre de seize. Ils étaient tous intelligents, expliqua-t-elle, bien que l'une de ses filles ait épousé un homme plutôt bête.

— Mais il est gentil, rectifia-t-elle. Même s'il dit des choses idiotes, il est gentil.

Mma Ramotswe lui raconta la maladie de Mr. J.L.B. Matekoni et la façon dont Mma Potokwane s'était occupée de lui jusqu'à lui faire recouvrer la santé. Elle évoqua le déménagement au Tlokweng Road Speedy Motors et le partage des bureaux, ainsi que l'efficacité de Mma Makutsi. Elle lui parla aussi des difficultés que Motholeli rencontrait à l'école et de la mauvaise passe que traversait Puso.

— Les garçons ont souvent de mauvaises périodes, affirma Mma Boko. Parfois, cela peut durer cinquante ans.

Puis elles parlèrent de Molepolole, de l'Association des femmes rurales du Botswana et de ses projets. Enfin, lorsque ces multiples sujets eurent été épuisés, Mma Ramotswe posa à Mma Boko la question qui l'avait amenée jusque-là.

— Il y a une jeune fille, commença-t-elle, ou plutôt, il y avait une jeune fille, c'est devenu une femme maintenant, appelée Tebogo Bathopi. Il y a une vingtaine d'années, elle a quitté Molepolole pour aller suivre une formation d'infirmière à Gaborone. Je ne sais pas si elle a réussi à terminer ses études. En fait, je ne crois pas. Quand elle était à Gaborone, il lui est arrivé une chose que quelqu'un voudrait aujourd'hui réparer. Je ne peux pas t'expliquer de quoi il s'agit, mais je te garantis que celui qui lui a fait du mal a très envie de réparer ce qu'il considère aujourd'hui comme une mauvaise action. Il y tient vraiment. Seulement, il ne sait pas où se trouve cette fille. Il n'en a aucune idée. C'est pourquoi je suis venue te voir. Toi, tu connais tout le monde. Tu vois tout. J'ai pensé que tu pourrais m'aider à découvrir où habite cette femme, si elle est encore en vie.

Mma Boko reposa la cuillère avec laquelle elle remuait sa confiture.

— Bien sûr qu'elle est encore en vie ! s'exclama-t-elle en riant. Bien sûr qu'elle est encore en vie ! Elle s'appelle désormais Mma Tshenyego.

La surprise de Mma Ramotswe se manifesta sous la forme d'un large sourire. Elle n'avait pas imaginé que ce serait si facile, mais l'instinct qui l'avait poussée à s'adresser à Mma Boko se révélait justifié. C'était toujours la meilleure façon de recueillir des renseignements : aller tout simplement interroger une femme qui sait ouvrir ses yeux et ses oreilles et qui aime parler. Cela marchait toujours. Interroger des hommes ne servait à rien : ils n'étaient pas assez intéressés par les autres et leurs faits et gestes. Voilà pourquoi les vrais historiens de l'Afrique avaient toujours été les grand-mères, qui se souvenaient des lignées et des histoires qui les accompagnaient.

— Je suis très heureuse de l'entendre, Mma, déclara-t-elle. Peux-tu me dire où elle est ?

— Là-bas, répondit Mma Boko. À deux pas d'ici. Dans la maison qui est juste à côté. Tu la vois ? Tiens, regarde, c'est justement elle qui sort avec l'un de ses enfants, une fille qui a seize ans maintenant. C'est son aînée, sa première fille.

Mma Ramotswe se tourna dans la direction indiquée. Elle vit une femme devant la maison en compagnie d'une jeune fille vêtue d'une robe jaune. La femme lança du grain aux poules de la cour, puis la mère et l'adolescente regardèrent les poules picorer.

— Elle a beaucoup de poules, commenta Mma Boko, et elle fait partie de celles qui font très bien la confiture. Elle est toujours chez elle, à faire le ménage et la cuisine et à confectionner des choses. C'est une brave femme.

— Alors elle n'est pas devenue infirmière ? interrogea Mma Ramotswe.

— Non, elle n'est pas infirmière, répondit Mma Boko. Elle est intelligente et elle aurait pu le devenir. Peut-être que l'une de ses filles le sera.

Mma Ramotswe se leva pour prendre congé.

— Il faut que j'aille voir cette dame, dit-elle à Mma Boko. Mais avant, je dois te donner le cadeau que je t'ai apporté. Il est dans ma fourgonnette.

Elle se dirigea vers le véhicule et en sortit un paquet enveloppé dans du papier brun. Elle le tendit à Mma Boko, qui le déballa et découvrit une longueur de coton imprimé, suffisante pour confectionner une robe. Mma Boko serra le tissu contre elle.

— Tu es une femme très généreuse, Mma Ramotswe, dit-elle. Cela fera une très jolie robe.

— Et toi, tu es une amie très utile, répondit Mma Ramotswe.

CHAPITRE XVIII

Une radio est une petite chose

Mr. Molefelo se présenta à l'Agence N° 1 des Dames Détectives le lendemain matin. Mma Ramotswe lui avait téléphoné pour lui proposer un rendez-vous quelques jours plus tard, mais il était si pressé de connaître les résultats de l'enquête qu'il l'avait suppliée d'avancer l'entretien.

— Je vous en prie, Mma, avait-il plaidé. Je ne peux pas attendre. Après tout ce temps, j'ai besoin de savoir vite. S'il vous plaît, ne me faites pas languir. Sinon, je vais rester sans rien pouvoir faire, à penser, penser sans arrêt.

Mma Ramotswe avait d'autres obligations, mais aucune n'était urgente et elle comprenait l'anxiété de son client. Aussi accepta-t-elle de le recevoir le lendemain matin, afin, expliqua-t-elle, de lui fournir les informations qu'il attendait. Cela nécessiterait bien sûr quelques préparatifs et il faudrait, en particulier, envoyer l'aîné des apprentis faire une course. Toutefois, cela restait réalisable.

Très ponctuel, il attendit dans sa voiture que la montre affiche onze heures pour frapper à la porte de l'agence. Mma Makutsi le fit entrer et retourna s'asseoir à son bureau. Mr. Molefelo salua Mma Ramotswe, puis regarda Mma Makutsi.

— Je ne suis pas sûr, Mma… commença-t-il.

Mma Ramotswe chercha le regard de Mma Makutsi et cela suffit. Les deux femmes savaient l'une comme l'autre qu'il existait des choses que l'on pouvait dire à une personne, mais pas à deux.

— Il faut que je passe à la poste, Mma, lança Mma Makutsi. Si j'y allais maintenant ?

— Excellente idée, approuva Mma Ramotswe.

Mma Makutsi quitta donc l'agence, non sans un regard blessé à Mr. Molefelo, qui ne remarqua rien. Dès qu'elle fut sortie, il prit la parole en se tordant les mains.

— Il faut que je sache, Mma, gémit-il. Il faut que je sache. Est-ce qu'ils sont tous morts ?

— Non, ils ne sont pas morts, répondit Mma Ramotswe. Enfin, Mr. Tsolamosese est mort, mais sa veuve vit toujours. Vous n'êtes pas venu trop tard.

Le soulagement détendit le visage de Mr. Molefelo.

— Dans ce cas, je peux faire ce que j'ai à faire, déclara-t-il.

— Oui, acquiesça Mma Ramotswe. Vous pouvez faire ce qu'il y a à faire.

Elle marqua une pause, puis reprit :

— Je vais d'abord vous parler de Tebogo. Je l'ai retrouvée, vous savez.

Mr. Molefelo hocha vivement la tête.

— Bien. Et… et que lui est-il arrivé ? Est-ce qu'elle allait bien ?

— Très bien, assura Mma Ramotswe. Je l'ai trouvée à Molepolole, sans difficulté. J'ai bu le thé avec elle et nous avons bavardé. Elle m'a raconté sa vie.

— Je suis…

Mr. Molefelo voulut parler, mais il s'apercut qu'il n'avait rien à dire.

— Elle m'a expliqué que, finalement, elle n'avait pas suivi la formation d'infirmière, reprit Mma Ramotswe. Elle était très malheureuse que vous l'ayez obligée à régler le problème du bébé de cette façon. Elle m'a raconté que, pendant des mois, elle n'a pas cessé de pleurer et de faire des cauchemars.

— C'était ma faute, murmura Mr. Molefelo. Ma faute…

— C'est vrai, approuva Mma Ramotswe. Mais vous étiez jeune alors, non ? Les jeunes font des choses comme ça. C'est seulement après qu'ils regrettent.

— J'ai eu tort de lui dire qu'elle ne devait pas garder ce bébé. Je le sais bien.

Mma Ramotswe le considéra.

— Les choses ne sont pas aussi simples, Rra. Dans certaines circonstances, on ne peut pas demander à une femme de mettre un bébé au monde. Ce n'est pas toujours judicieux. Beaucoup de femmes vous le diront.

— Ce n'est pas le problème, répondit humblement Mr. Molefelo. Je vous dis juste ce que je ressens.

— Elle a également été dévastée par votre attitude envers elle, reprit Mma Ramotswe. Elle m'a dit qu'elle vous aimait et que vous lui aviez affirmé que vous l'aimiez aussi. Et puis, vous avez changé d'avis et ça l'a bouleversée. Elle m'a dit que vous aviez un cœur de pierre.

Mr. Molefelo baissa les yeux.

— C'est vrai. J'avais un cœur de pierre…

— Mais ensuite, elle a rencontré un autre garçon, qui l'a demandée en mariage. Il est entré dans la police, puis a trouvé un emploi de chauffeur de bus. Ils vivent à Molepolole et ils sont heureux. Ils ont cinq enfants. J'ai rencontré l'aînée des filles.

Mr. Molefelo l'écoutait avec attention.

— Et c'est tout ? interrogea-t-il. C'est tout ce qui s'est passé ? Vous ne lui avez pas dit que je regrettais ?

— Si.

— Et qu'a-t-elle répondu ?

— Elle a dit que vous ne deviez pas vous en faire. Que sa vie avait fini par s'arranger et qu'elle ne gardait aucune rancœur vis-à-vis de vous. Elle a dit qu'elle espérait que vous aviez été heureux vous aussi.

Elle s'interrompit.

— Je crois que vous aviez le désir de l'aider, d'une manière ou d'une autre, n'est-ce pas, Rra ?

Mr. Molefelo souriait, à présent.

— Je vous l'ai dit, Mma, et c'est vraiment mon intention. Je veux lui donner de l'argent.

— Ce n'est peut-être pas le meilleur moyen, objecta Mma Ramotswe. Imaginez la réaction du mari si cette femme reçoit de l'argent d'un ancien petit ami ? Il risque de ne pas apprécier du tout.

— Mais alors, que puis-je faire ?

— J'ai rencontré sa fille, expliqua Mma Ramotswe. Je vous l'ai dit. C'est une enfant intelligente. C'est elle qui rêve de devenir infirmière désormais. Cela lui tient beaucoup à cœur. Nous en avons discuté. Seulement, les places sont chères à l'école d'infirmières et ce sont les élèves qui ont les meilleurs dossiers scolaires qui sont acceptées.

— Est-elle intelligente ? s'enquit Mr. Molefelo. Sa mère l'était.

— Elle est assez intelligente, je crois. Mais elle aurait plus de chances si elle allait passer un an ou deux dans l'une de ces écoles privées qui coûtent cher. Là, on s'occupe bien des élèves. Ce serait un excellent atout pour elle.

Mr. Molefelo demeura un instant silencieux.

— Mais les frais de scolarité sont très élevés dans ces écoles, fit-il enfin remarquer. Cela coûte beaucoup d'argent.

Mma Ramotswe le regarda, le fixant droit dans les yeux.

— Je ne crois pas que vous puissiez réparer vos erreurs passées sans faire de vrai sacrifice, Rra. Qu'en pensez-vous ?

Mr. Molefelo soutint son regard, hésitant, puis sourit.

— Vous êtes maligne, vous ! Mais je crois que vous avez raison. Je paierai pour que cette jeune fille aille dans une bonne école, ici, à Gaborone. Je paierai.

Une moitié de la pilule est passée, songea Mma Ramotswe. À présent, il faut lui faire avaler l'autre moitié.

Elle regarda par la fenêtre. L'apprenti était parti un peu avant neuf heures et, même si l'on tenait compte des embouteillages aux carrefours et d'une ou deux erreurs dans les embranchements, il devrait arriver bientôt. Elle pouvait commencer en racontant comment elle avait retrouvé Mma Tsolamosese.

— Le père est mort, expliqua-t-elle. Il a pris sa retraite de la prison et il est décédé peu après. Mais Mma Tsolamosese, elle, va très bien. Elle reçoit une pension de veuve de l'administration. Je pense que cet argent lui suffit pour vivre. Sa maison est agréable et elle-même est bien entourée. Il me semble qu'elle est heureuse.

— C'est très bien, commenta Mr. Molefelo. Mais a-t-elle été en colère contre moi quand vous lui avez dit ce que j'avais fait ?

— Elle a été très surprise, répondit Mma Ramotswe. Au début, elle n'a pas voulu me croire. J'ai dû la convaincre que c'était la vérité. Ensuite, elle a estimé que vous étiez très courageux d'avoir confessé votre faute. C'est ce qu'elle a dit, en tout cas.

Mr. Molefelo, qui semblait heureux un instant plus tôt, reprit son air de chien battu.

— Elle doit me trouver odieux. Elle doit penser que j'ai abusé de son hospitalité. C'était vraiment scandaleux d'agir comme je l'ai fait.

— Elle comprend, affirma Mma Ramotswe. C'est une femme qui a une grande expérience de la vie. Elle sait que les jeunes gens commettent parfois de mauvaises actions. N'allez pas croire qu'elle est en colère, ni qu'elle vous en veut.

— Ah non ?

— Non. Et elle est très contente que vous lui présentiez vos excuses de vive voix. Elle est prête à les recevoir.

— Dans ce cas, je dois aller chez elle, décida Mr. Molefelo.

Mma Ramotswe jeta un coup d'œil par la fenêtre. La petite fourgonnette blanche venait d'apparaître à l'arrière du garage.

— Ce ne sera pas la peine, Rra, dit-elle. Mma Tsolamosese vient d'arriver. Elle sera là dans quelques instants.

Elle marqua un temps d'arrêt.

— Est-ce que ça va, Rra ?

Mr. Molefelo déglutit.

— Je suis très mal à l'aise, Mma. Je me sens très mal. Mais je crois que je suis prêt.

Mma Tsolamosese dévisagea l'homme qui se tenait devant elle.

— Tu as l'air en pleine forme, dit-elle. Tu étais plus mince autrefois. Mais tu étais jeune…

— Vous étiez ma mère, Mma. Vous preniez bien soin de moi.

Elle lui sourit.

— J'étais ta mère de Gaborone. Tu étais mon fils quand tu vivais chez moi. Aujourd'hui, je suis fière de toi. Mma Ramotswe m'a expliqué que tu avais bien réussi dans la vie.

— Mais j'ai commis une très mauvaise action quand je vivais chez vous, dit Mr. Molefelo. Votre poste de radio…

Mma Tsolamosese l'interrompit.

— Une radio n'est qu'une petite chose. Un homme est une grande chose.

— Je suis désolé, Mma, reprit Mr. Molefelo. Je suis désolé pour ce que je vous ai fait. Je n'ai jamais rien volé d'autre dans ma vie. C'était la seule fois.

— Ne te fais pas de souci, Rra, dit-elle. Je te l'ai déjà dit : une radio, ce n'est pas grand-chose.

Ils s'installèrent ensemble pendant que Mma Ramotswe préparait du thé. Puis, sirotant le liquide fort et sucré, ils se racontèrent leurs vies respectives. À la fin de la conversation, Mma Ramotswe prit Mr. Molefelo à part et lui parla à mi-voix.

— Il y a une chose que vous pouvez faire pour cette femme, expliqua-t-elle. Cela ne vous coûtera pas très cher, mais il y a une chose que vous pouvez faire.

Il jeta un coup d'œil à Mma Tsolamosese par-dessus son épaule.

— C'est une femme si bonne… murmura-t-il. Elle était déjà comme ça à l'époque et elle n'a pas changé. Je ferai tout ce qui est en mon pouvoir.

— Elle a une petite-fille, expliqua tout bas Mma Ramotswe. Une petite-fille qui ne vivra pas très longtemps, à cause de cette cruelle maladie. Mais tant qu'elle est là, vous avez les moyens de transformer sa vie. Vous pouvez donner à Mma Tsolamosese de l'argent pour cette enfant. Pour lui acheter de bonnes choses à manger. De la viande. De jolies robes. Même si la vie de cette petite fille est courte, vous en ferez une existence pleine de bonheur. Si vous le faites, Rra, vous aurez plus que réparé votre méfait d'il y a vingt ans.

Mr. Molefelo la considéra.

— Vous avez raison, Mma. Je peux faire cela. Ce n'est pas grand-chose.

— Alors, dites-le à Mma Tsolamosese, conseilla Mma Ramotswe avec un geste en direction de la vieille femme. Allez le lui dire.

Mma Tsolamosese écouta Mr. Molefelo sans l'interrompre. Puis, la tête baissée, elle prit la parole :

— J'ai toujours su que tu étais quelqu'un de bien, Rra, déclara-t-elle. Je le pensais déjà il y a vingt ans. Rien de ce que j'ai appris depuis, rien, n'a modifié cette opinion que j'avais de toi.

Elle releva la tête et lui saisit la main, tandis que Mma Ramotswe se détournait. Mr. Molefelo avait bien mérité cet instant, pensa-t-elle. Un instant qu'il devait vivre sans spectateurs.

CHAPITRE XIX

N° 42, Limpopo Court

Ce jour-là, Mr. Molefelo avait rédigé deux chèques : le premier à l'ordre de Mma Ramotswe pour ses services professionnels (trois mille pula, un tarif élevé, mais qu'il était en mesure de payer), et un second de deux mille pula à déposer à la poste, sur un compte de caisse d'épargne au nom de Mma Tsolamosese, au bénéfice de sa petite-fille. Il lui faudrait également signer d'autres chèques pour régler des frais de scolarité, mais là encore, Mr. Molefelo avait amassé une fortune considérable et ces versements passeraient presque inaperçus. En échange, après tout — comme Mma Ramotswe prit la peine de le lui expliquer —, il avait rétabli un équilibre moral et acquis le droit de vivre en paix avec sa conscience.

Toutefois, le sentiment du devoir accompli qu'aurait dû éprouver Mma Ramotswe se trouvait gâché par la question soumise à son attention par Mma Selelipeng, la kinésithérapeute de Mochudi. Mma Ramotswe eût donné cher pour voir ce problème disparaître en fumée, mais il demeurait obstinément présent et il faudrait s'en occuper tôt ou tard. Au moins, elle savait à présent ce qu'elle devait faire : elle avait l'adresse de Mr. Selelipeng à la main. Elle irait le voir en fin d'après-midi, à l'heure où il rentrerait du bureau.

Elle connaissait le Limpopo Court, un immeuble proche de Tlokweng Road. Elle y était allée une fois pour rendre visite à un cousin éloigné, qui vivait dans l'un de ces appartements, et le bâtiment massif et étouffant l'avait découragée. Mma Ramotswe aimait les bonnes vieilles formes rondes de l'architecture traditionnelle ; les angles droits et les toits pointus lui apparaissaient comme hostiles et impersonnels. Et puis, une maison traditionnelle *sentait* bon, parce qu'elle n'était pas construite en béton. Le béton dégageait une odeur désagréable. Une maison traditionnelle embaumait le bois brûlé, la terre et le chaume, autant de bonnes senteurs, les senteurs de la vie.

L'appartement n° 42 se trouvait au premier étage. On y accédait par un affreux couloir de béton qui courait sur toute la longueur du bâtiment. Elle jeta un coup d'œil à la porte, peinte en bleu brillant, et au nom, Selelipeng, inscrit au pochoir pour souligner la fierté du propriétaire. Elle se sentit malheureuse et inquiète, voire angoissée. Ce qu'elle s'apprêtait à faire ne serait pas facile, mais elle ne pouvait s'y dérober. Elle s'était engagée à agir au nom de Mma Selelipeng et il n'était pas question de revenir sur sa parole. En même temps, elle avait conscience d'intervenir dans les affaires de Mma Makutsi d'une façon que son assistante aurait des raisons de réprouver. Si elle se trouvait à la place de cette dernière, aimerait-elle que son employeur vînt mettre son grain de sel dans une histoire d'amour qui, de toute évidence, signifiait beaucoup pour elle ? Non, pensa-t-elle. Toutefois, si elle était à la place de Mma

Makutsi, elle n'aurait pas à se soucier de l'engagement pris auprès de Mma Selelipeng. Les choses n'étaient donc pas aussi simples que pouvait se l'imaginer Mma Makutsi.

Inconscient du dilemme qu'il avait soulevé chez Mma Ramotswe, Mr. Bernard Selelipeng, la cravate dénouée après une journée de travail harassante au bureau des diamants, ouvrit la porte. Il découvrit une grosse dame bien bâtie dont le visage lui sembla vaguement familier. Qui était-elle ? Un membre de sa famille ? Des cousins de cousins apparaissaient régulièrement sur le pas de sa porte pour lui demander des services. Au moins, cette femme ne paraissait pas affamée.

— Mr. Selelipeng ?

— Mon nom est sur la porte, Mma.

Mma Ramotswe lui sourit. Elle vit la raie au milieu et la chemise bleue de bonne qualité. Elle remarqua les chaussures, qui brillaient davantage que celles de la plupart des hommes.

— Je dois vous parler, Rra. C'est au sujet d'une affaire importante. M'invitez-vous à entrer, s'il vous plaît ?

Mr. Selelipeng acquiesça d'un geste de la main et recula pour lui livrer le passage. Puis, lui désignant un siège, il l'engagea à s'asseoir.

— Je ne vois pas très bien qui vous êtes, Mma, commença-t-il. Il me semble vous avoir déjà rencontrée, mais je suis désolé, je n'en suis pas sûr.

— Je suis Precious Ramotswe, répondit-elle. Je suis la propriétaire de l'Agence N° 1 des Dames Détectives. Vous avez sans doute entendu parler de nous.

Mr. Selelipeng parut surpris.

— En effet, cela me dit quelque chose. Il n'y avait pas une interview dans le journal l'autre jour ?

Mma Ramotswe se mordit la lèvre.

— Ce n'était pas nous, Rra. C'était une autre agence. Rien à voir avec nous.

Elle fit un immense effort pour chasser l'irritation qui transparaissait à coup sûr dans sa voix, mais sans grand succès apparemment, car elle vit Mr. Selelipeng se raidir.

— L'Agence N° 1 des Dames Détectives, poursuivit-elle, est tenue par deux femmes. Il y a moi — j'en suis la directrice — et une autre dame, qui travaille pour moi comme assistante-détective. C'est une personne qui a été formée par l'Institut de secrétariat du Botswana et qui est désormais employée chez moi. Je pense que vous la connaissez.

Mr. Selelipeng demeura silencieux.

— Elle s'appelle Mma Makutsi, compléta Mma Ramotswe. C'est le nom de cette dame.

Mr. Selelipeng ne baissa pas les yeux, mais Mma Ramotswe remarqua qu'il ne souriait plus. Elle s'aperçut que les doigts de sa main droite tambourinaient sur le bras du fauteuil. L'autre main était posée sur ses genoux, légèrement crispée, constata-t-elle.

Mma Ramotswe prit une profonde inspiration.

— Je sais que vous sortez avec cette femme, Rra. Elle m'a parlé de vous.

Mr. Selelipeng gardait toujours le silence.

— Elle a été très heureuse quand vous l'avez invitée à sortir avec vous, poursuivit-elle. J'ai compris, à la manière dont elle se comportait, qu'un événement heureux était arrivé dans sa vie. Et puis, elle a mentionné votre nom. Elle a dit…

Cette fois, Mr. Selelipeng l'interrompit.

— Et alors ? demanda-t-il d'une voix forte. Et alors ? En quoi cela vous concerne-t-il, Mma ? Je n'aime pas être impoli, mais croyez-vous vraiment que vous ayez à vous mêler de cela ? Vous êtes sa patronne, mais sa vie ne vous appartient pas, il me semble !

Mma Ramotswe soupira.

— Je comprends votre sentiment, Rra. Je sais que vous devez me prendre pour une commère qui cherche à fourrer son nez dans des affaires qui ne la regardent en rien.

— Eh bien ? fit Mr. Selelipeng. Vous venez de le dire vous-même. Vous venez de dire vous-même qu'il n'y a qu'une commère pour venir me parler de cette histoire. Vous me faites penser à ces vieilles, dans les villages, qui passent leur temps à espionner tout le monde.

— Seulement, moi, je ne fais que mon devoir, Rra, objecta Mma Ramotswe, sur la défensive.

— Ah ! Et en quoi est-ce votre devoir de faire ça ? Pourquoi faut-il que vous veniez jusqu'ici pour me parler de cette affaire privée ? J'aimerais bien que vous me l'expliquiez !

— Parce que votre femme me l'a demandé, rétorqua calmement Mma Ramotswe. Voilà pourquoi.

Ses mots eurent exactement l'effet escompté. Mr. Selelipeng ouvrit la bouche, puis la referma, déglutit et la rouvrit, de sorte que Mma Ramotswe aperçut une dent en or sur le côté droit. La bouche se referma.

— Cela vous inquiète, Rra ? Vous n'aviez pas dit à Mma Makutsi que vous étiez marié ?

À présent, Mr. Selelipeng semblait décomposé. Il s'était légèrement recroquevillé dans son fauteuil et ses épaules s'étaient affaissées.

— Je m'apprêtais à le lui dire, affirma-t-il sans grande conviction. Je voulais le faire, mais je n'en ai pas encore trouvé l'occasion. Je suis vraiment désolé.

Mma Ramotswe le regarda droit dans les yeux et lut le mensonge. Cela ne la surprit pas ; en fait, Mr. Selelipeng se comportait comme prévu et ne lui donnait aucune raison de réévaluer sa stratégie. Les choses eussent été différentes, bien sûr, s'il s'était mis à rire lorsqu'elle avait évoqué sa cliente, mais ce n'était pas le cas. Cet homme n'avait pas l'intention de quitter son épouse, cela ne faisait aucun doute.

C'était la détective qui détenait l'avantage à présent.

— Alors, Mr. Selelipeng, que devons-nous faire, à votre avis ? Votre femme m'a demandé de lui rendre compte de vos allées et venues. J'ai un devoir professionnel envers elle. Je dois également songer aux intérêts de mon employée, Mma Makutsi. Je ne veux pas la voir souffrir… souffrir à cause d'un homme qui n'envisage pas un instant de passer le reste de sa vie avec elle.

À ces mots, Mr. Selelipeng tenta de lui lancer un regard noir, mais comme elle continuait à le fixer dans les yeux, il baissa la tête.

— Je vous en prie, Mma, implora-t-il d'une voix misérable, ne dites rien à ma femme ! Je suis désolé d'avoir incommodé Mma Makutsi. Je ne veux pas lui faire de mal.

— Peut-être auriez-vous dû y songer un peu plus tôt, Rra. Peut-être auriez-vous dû…

Elle s'interrompit. Elle avait bon cœur et la vue de cet homme malheureux et apeuré l'empêcha de poursuivre. Elle ne voulait pas ajouter à son malaise. Je ne pourrais jamais être juge, pensa-t-elle. Je suis incapable de punir une personne qui commence à regretter ses mauvaises actions.

— Nous pouvons tenter de nous tirer de ce pétrin, reprit-elle. Nous pouvons nous arranger pour que Mma Makutsi ne soit pas trop affectée. En particulier, Rra, je ne veux pas qu'elle pense qu'elle a été délaissée par un homme qui ne l'aime plus. Et je ne veux pas non plus qu'elle découvre qu'elle est sortie avec un homme marié. Cela la culpabiliserait, ce qui est hors de question pour moi. M'avez-vous bien comprise ?

Mr. Selelipeng hocha la tête avec empressement.

— Je ferai ce que vous me direz de faire, Mma.

— J'ai pensé, Rra, qu'il serait peut-être préférable que vous retourniez vivre quelque temps à Mochudi. Vous pourriez dire à Mma Makutsi que vous êtes obligé de partir et que ce n'est pas parce que vous ne l'aimez plus que vous l'abandonnez. Vous pourriez alors ajouter que vous n'êtes pas certain de la mériter, bien que vous soyez très amoureux d'elle. Ensuite, vous lui achèteriez un beau cadeau, et aussi des fleurs. Vous saurez. L'essentiel, c'est qu'elle ne se sente pas rejetée. Cela ne me plairait pas du tout et j'aurais alors beaucoup de mal à ne pas parler de toute cette affaire à votre femme. Est-ce que vous m'avez bien comprise ?

— Je vous ai très bien comprise, répondit Mr. Selelipeng. Vous pouvez compter sur moi pour lui rendre les choses faciles.

— C'est ce que vous devez faire, Rra.

Elle se leva, prête à repartir.

— Il y a autre chose, Rra, ajouta-t-elle. J'aimerais que vous gardiez à l'esprit qu'à l'avenir vous ne vous en tirerez peut-être pas aussi bien. Pensez-y.

— Cela ne se reproduira plus, assura Mr. Selelipeng.

Cependant, tandis qu'elle regagnait la petite fourgonnette blanche, il la regarda de la fenêtre et pensa : Je ne suis pas heureux. Tout ce que je fais, c'est gagner de l'argent pour cette femme et ses enfants. Elle ne m'aime pas, mais elle ne me laissera jamais trouver quelqu'un qui m'aime vraiment. D'un autre côté, je suis trop lâche pour la quitter en lui disant que j'ai ma vie, et cette vie sera bientôt derrière moi, parce que je commence à me faire vieux. Et maintenant, je n'ai même plus cette femme, qui s'est montrée si douce envers moi. Un jour, je mettrai un terme à tout ça. Un jour.

Et Mma Ramotswe, levant les yeux, l'aperçut à la fenêtre avant qu'il ne batte en retraite et elle pensa : Le pauvre ! Tout aurait pu être différent pour lui s'il n'avait pas menti à Mma Makutsi. Pourquoi faut-il qu'il y ait toujours tant de problèmes et de malentendus entre les hommes et les femmes ? Le monde aurait été bien meilleur, assurément, si Dieu n'avait créé qu'une seule sorte de personnes et si les enfants étaient arrivés d'une autre façon, avec la pluie, peut-être…

Tout en y réfléchissant, elle tourna la clé de contact et se mit en route. Mais s'il n'existait qu'une seule catégorie de personnes, ces personnes seraient-elles des hommes ou des femmes ? La réponse était évidente, conclut Mma Ramotswe. La question ne se posait même pas.

CHAPITRE XX

Deux messieurs gênants
évincés sans heurt

Il semblait à Mma Ramotswe que la phase d'infortune, qui avait débuté par la maladie de Mr. J.L.B. Matekoni et s'était prolongée au travers d'événements comme la liaison abrégée de Mma Makutsi avec Mr. Bernard Selelipeng ou l'établissement d'une agence de détectives rivale, touchait désormais à sa fin. Certes, l'affaire Selelipeng lui avait encore causé bien des soucis, mais en réalité, ceux-ci n'avaient pas lieu d'être. Peu après la visite au n° 42, Limpopo Court, Mma Makutsi avait en effet expliqué de façon spontanée à Mma Ramotswe que Mr. Selelipeng avait malheureusement dû partir à Mochudi pour s'occuper de parents âgés. En conséquence, il n'était plus en mesure de la voir aussi régulièrement qu'il l'eût souhaité, ce qui était très regrettable, bien entendu.

— Un sacré soulagement pour moi ! ajouta-t-elle en souriant. C'est vrai qu'au début il me plaisait beaucoup, mais peu à peu, vous savez ce que c'est, Mma… je me suis lassée…

L'espace d'un instant, Mma Ramotswe perdit contenance.

— Vous… Vous vous êtes… lassée… ? Vous… ?

— Il commençait à m'ennuyer, expliqua Mma Makutsi d'un ton léger. C'était quelqu'un de très agréable sur beaucoup de plans, certes, mais il s'intéressait un peu trop à son apparence. Et puis, il restait des heures sans rien faire, à me contempler en souriant. Il est évident qu'il était amoureux de moi, ce qui fait toujours plaisir, mais à la longue, ce genre d'attitude devient ennuyeux, vous ne trouvez pas ?

— Si, bien sûr ! s'empressa d'acquiescer Mma Ramotswe.

— Il restait là, à me regarder dans les yeux, insista Mma Makutsi. Au bout d'un moment, cela me faisait loucher.

Mma Ramotswe se mit à rire.

— Il y a des jeunes filles qui seraient ravies d'avoir un amoureux comme celui-là.

— Sans doute, répondit Mma Makutsi. Mais pour ma part, j'aimerais trouver quelqu'un d'un peu plus…

— Plus intelligent ?

— Oui.

— Vous êtes une femme d'une grande sagesse, commenta Mma Ramotswe.

Mma Makutsi esquissa un geste de la main, comme l'eût fait une coquette qui, en matière d'hommes, n'aurait eu que l'embarras du choix.

— Quand il m'a dit qu'il devait partir à Mochudi, j'ai été ravie. Je lui ai aussitôt répondu que cela n'allait pas être facile pour nous de rester sans nous voir et qu'il valait peut-être mieux se quitter tout de suite. Il a paru surpris, mais j'ai fait en sorte que ce ne soit pas trop pénible pour lui. Nous sommes donc tombés d'accord là-dessus. Il m'a apporté des fleurs et m'a fait un très beau cadeau. Un collier, avec un petit diamant… Il a dit qu'il pouvait les avoir pour moins cher à son travail.

Elle sortit une chaîne en argent d'un sachet et la tendit à Mma Ramotswe. Accroché à la chaîne pendait un minuscule éclat de diamant presque invisible. Il aurait pu se montrer plus généreux ! songea Mma Ramotswe. Mais, au moins, il l'avait fait, et cela seul comptait.

Mma Ramotswe observa Mma Makutsi. Elle se demandait si son employée ne cherchait pas à faire contre mauvaise fortune bon cœur. Avait-elle vraiment voulu se débarrasser de Mr. Bernard Selelipeng ? Mais oui, il ne pouvait en être autrement. Mma Makutsi était une femme scrupuleusement sincère, qui ne serait jamais venue lui raconter un tissu de mensonges. Elle en était tout bonnement incapable. Ainsi, Mma Ramotswe n'avait fait qu'enclencher le processus. Il était étonnant de voir comment la vie avait sa façon bien à elle de démêler les écheveaux, même quand tout paraissait inextricable et que l'avenir s'annonçait des plus sombres.

Plus étonnante encore fut l'arrivée, un peu plus tard dans la même journée, de Mr. Buthelezi, qui frappa à la porte, entra sans attendre de réponse et lança un bonjour retentissant aux deux femmes.

— Voilà donc votre agence ! s'exclama-t-il en examinant la pièce d'un œil vaguement condescendant. Je me demandais à quoi elle ressemblerait. J'avoue que je m'attendais à trouver un décor plus féminin. Avec des rideaux, vous voyez, ce genre de choses…

Mma Ramotswe regarda Mma Makutsi. S'il y avait une limite à l'outrecuidance de cet individu, elles ne l'avaient pas encore atteinte.

— Vous êtes très occupées, à ce qu'on dit, poursuivit-il. Beaucoup d'enquêtes. Des choses et d'autres…

— Oui, rétorqua Mma Ramotswe, avant d'ajouter : J'ai même eu certains clients qui venaient de chez...

— Ah oui, oui, je suis au courant... coupa Mr. Buthelezi. Cette femme... Je lui avais pourtant dit la vérité, je lui avais expliqué que...

Mma Ramotswe partit d'une bruyante quinte de toux. Elle avait fait allusion à Mma Selelipeng par inadvertance, oubliant un instant les mille précautions prises jusque-là pour dissimuler cette affaire à Mma Makutsi.

— Oui, oui, Rra. Oublions ça, voulez-vous? Il n'y avait rien, en effet. À présent, que pouvons-nous faire pour vous aujourd'hui ? Vous avez besoin d'une détective ?

À ces mots, Mma Makutsi éclata de rire, mais un regard de Mr. Buthelezi la réduisit aussitôt au silence.

— Très drôle, Mma ! s'exclama-t-il. La vérité, c'est que je vais vous céder le monopole de l'activité. J'en ai eu ma dose. Je ne pense pas que ce soit le bon créneau pour moi.

Cette nouvelle laissa Mma Ramotswe sans voix. Ainsi, elle ne s'était pas trompée : l'ordre naturel des choses était bel et bien en train de se rétablir, après tous ces revers de fortune.

— Je me suis rendu compte que c'était un métier très ennuyeux, poursuivit Mr. Buthelezi. Cette ville est trop petite. Les gens d'ici mènent des existences extrêmement monotones. Ils n'ont pas de vrais problèmes à régler. Ce n'est pas comme à Johannesburg.

— Ou à New York, compléta Mma Makutsi.

— Oui, acquiesça Mr. Buthelezi. Ce n'est pas comme à New York non plus.

— Alors, qu'allez-vous faire, Rra ? s'enquit Mma Ramotswe. Vous lancer dans une autre activité ?

— Je vais réfléchir à une autre branche, oui, répondit Mr. Buthelezi. Je finirai bien par avoir une idée.

— Et une auto-école ? suggéra Mma Makutsi. Je vous vois très bien patron d'auto-école.

Mr. Buthelezi fit volte-face pour considérer Mma Makutsi.

— Mais c'est une excellente idée, Mma ! s'écria-t-il. Une excellente idée ! Eh bien ! Quelle intelligence ! Vous ne vous contentez pas d'être une belle fille, vous êtes également brillante.

— Vous pourriez l'appeler *Apprenez à conduire avec Jésus*, ajouta Mma Makutsi. Ce seraient des gens prudents et respectueux qui viendraient chez vous.

— Ah ! fit Mr. Buthelezi d'une voix tonitruante. Ah !

Ces gens-là ne peuvent pas s'empêcher de parler fort ! songea Mma Ramotswe. Ils sont tous comme ça. Tous…

Comme la vie semblait devenir plus ordonnée et plus satisfaisante, Mma Ramotswe, Mma Makutsi et Mr. J.L.B. Matekoni organisèrent un grand pique-nique près du lac de retenue la semaine suivante. Ils invitèrent non seulement les deux apprentis, mais aussi Mma Potokwane et son mari, Mma Boko, que l'un des apprentis alla chercher en voiture à Molepolole, et Mr. Molefelo et sa famille. Mma Ramotswe et Mma Makutsi s'activèrent à préparer du poulet frit et des saucisses, ainsi que de grandes quantités de riz et de porridge de maïs. Les apprentis allumèrent un feu de bois, sur lequel on fit griller d'épais steaks de bœuf.

Plusieurs autres groupes pique-niquaient au même endroit, dont quelques familles comprenant des filles adolescentes. Les apprentis ne tardèrent pas à aborder ces demoiselles, puis, assis sur un rocher un peu à l'écart, ils échangèrent avec elles des plaisanteries et des propos que Mr. J.L.B. Matekoni ne pouvait qu'imaginer.

— Mais de quoi peuvent bien discuter ces jeunes ? demanda-t-il à Mma Ramotswe. Regarde-les ! Même le croyant est en train de parler à ces filles ! Et il essaie de leur toucher le bras !

— Il a recommencé à s'intéresser aux filles, intervint Mma Makutsi en piquant de sa fourchette un morceau de poulet fort tentant. J'ai remarqué ça. Il ne restera pas croyant bien longtemps.

— Cela devait arriver, commenta Mma Ramotswe. Les gens ne changent pas à ce point.

Elle observa Mr. J.L.B. Matekoni, qui retournait un morceau de viande sur le feu. Il était bon que les gens restent tels qu'ils étaient, sauf, se dit-elle, quand il existait des possibilités de s'améliorer. Mr. J.L.B. Matekoni était parfait comme il était, estima-t-elle. Un homme bon, avec un penchant profond pour les machines, et doté d'un tempérament tout de gentillesse. Il existait si peu d'hommes de cette sorte ; comme il était réjouissant, dans ces conditions, de penser qu'on en avait un pour soi !

Mma Potokwane remplit une assiette de poulet et de riz et la tendit à son mari.

— Quelle chance nous avons ! s'exclama-t-elle. Quelle chance nous avons d'être entourés d'amis aussi gentils et de vivre dans ce pays, qui est si bon pour nous ! Nous avons vraiment de la chance…

— C'est vrai ! approuva son mari, qui tombait toujours d'accord avec elle, quoi qu'elle dît.

— Mma Potokwane, s'enquit Mr. J.L.B. Matekoni, est-ce que votre nouvelle pompe fonctionne bien ?

— Très bien, répondit Mma Potokwane. En revanche, l'une de nos assistantes maternelles m'a dit que le système d'eau chaude de sa maison faisait un drôle de bruit. Je me demandais si…

— Je vais venir vous réparer ça, promit Mr. J.L.B. Matekoni. Dès demain.

À ces mots, Mma Ramotswe esquissa un sourire, mais seulement pour elle-même.

Impression réalisée sur Presse Offset par

BRODARD & TAUPIN

GROUPE CPI

La Flèche (Sarthe), 25386
N° d'édition : 3638
Dépôt légal : octobre 2004

Imprimé en France